LA SPECULATION CREATRICE
OU
LE ROLE ESSENTIEL DE L'ANTICIPATION SPECULATIVE DANS LA CREATION DE LA VALEUR ECONOMIQUE

Philippe ROBERT

Professeur Honoraire en Sciences de Gestion à l'Université Paris V

La Spéculation créatrice

ou
Le Rôle essentiel de l'Anticipation
spéculative dans la Création
de la Valeur économique

Editions Amalthée

Pour tout contact :
Editions Amalthée — 2 rue Crucy — 44005 Nantes Cedex 1

À Pierre Ledoux
et à Matias de Alzua

qui, convaincus du bien fondé de mon argumentation,
m'ont convaincu de la faire publier.

AVANT-PROPOS

Ce texte a été écrit pour l'essentiel il y a 25 ans. Il a paru dans les Cahiers de l'Institut Universitaire de Technologie de Paris (Université René Descartes) de décembre 1980. Seuls les deux derniers chapitres intitulés *L'Economie du Don de Dieu* et *Le Capitalisme au secours du prolétariat* avec la conclusion datent de 2005.

Des extraits en ont été publiés dans la revue *Direction et Gestion* de l'Institut Français de Gestion dans trois numéros de 1981.

Cet essai avait été retenu par l'Ecole de Commerce de Paris comme cours à option.

Enfin il valut à son auteur d'être promu de Maître de Conférences en Sciences de Gestion au grade de Professeur dans la même discipline.

Le lecteur pourra constater combien, après un quart de siècle, il demeure hélas d'une terrible actualité.

Philippe ROBERT

LE RÔLE ESSENTIEL DE L'ANTICIPATION SPÉCULATIVE DANS LA CRÉATION DE LA VALEUR ÉCONOMIQUE

La théorie de la valeur, qui fut l'un des principaux champs de confrontation des économistes dans le passé, ne fait plus recette aujourd'hui.

La création de la valeur est pourtant encore – et sera toujours, à notre avis – le fondement même de l'activité économique, et la théorie de la valeur devrait rester au centre de la réflexion de la science économique.

Bien plus, si notre civilisation est actuellement en crise, c'est notamment qu'il n'y a pas accord sur une théorie de la valeur une, capable d'orienter l'activité et d'inspirer la politique économique mais, au contraire, opposition, voire conflit, entre deux théories de la valeur contradictoires, antagonistes, qui subsistent dans l'esprit des hommes comme un héritage des débats passés : la théorie de la valeur-travail et la théorie de l'utilité marginale. Et si la seconde est dominante parmi les économistes, la première l'emporte explicitement (chez les marxistes) et implicitement (chez beaucoup d'autres) dans l'opinion publique. En effet, pour beaucoup, la valeur, le juste prix d'un produit ou d'un bien, doit correspondre au travail qu'il a nécessité, un juste revenu doit provenir d'un travail et tout travail doit engendrer un revenu. Ici, les conceptions éthiques se mêlent étroitement à la théorie marxiste pour forger l'opinion, et la force de cette conviction jette l'opprobre sur tout gain ne correspondant pas à un travail, tel que rente[1] ou spéculation.

Notre conception se rattache à la théorie marginaliste et notre conviction d'économiste ne reconnaît aucune validité à la théorie de la valeur-travail. Mais notre propos n'est pas de faire le procès de cette dernière, les marginalistes, tels que Böhm Bawerk et les néo-marginalistes en France, François Perroux notamment, en ayant fait à notre avis une critique définitive.

Néanmoins, la théorie de la valeur-travail demeure solidement ancrée, plus ou moins explicitement, dans une large partie de l'opinion et, comme telle, a une réalité idéologique conceptuelle dont on ne peut pas ne pas tenir compte.

Qu'il soit clair aussi que notre réflexion sur la valeur ne prend en compte que la valeur économique et non des acceptions morales, psychologiques, philosophiques, voire métaphysiques de la valeur. Nous pensons en effet qu'il ne faut pas, en matière scientifique, mélanger exagérément les genres au risque d'aboutir à la confusion mentale. Par ailleurs, pour moraliser l'économie, il faut d'abord l'étudier telle qu'elle fonctionne et de la façon la plus objective possible. Ce n'est que lorsqu'on connaîtra avec exactitude ses mécanismes et ses contraintes que l'on pourra l'orienter et la maîtriser en fonction d'une éthique, au risque, faute de cette connaissance objective, de voir ses mécanismes et ses contraintes aboutir à l'inverse du résultat recherché.

Dans une première phase, nous ferons ici l'hypothèse que la valeur économique d'un bien ou d'un service correspond à son prix en économie de marché, quitte, par la suite, dans une autre étude, à rechercher en quoi la valeur-prix peut différer de la valeur économique réelle. Ceci pour deux raisons : la première, d'ordre méthodologique, dans un souci d'approche progressive ; la deuxième, parce que nous avons la conviction que quelque critiquable que soit la valeur-prix en économie de marché, aucune donnée économique immédiate ne se rapproche plus qu'elle de la valeur économique réelle[2] ; elle en est évidemment bien plus proche que la valeur-prix en économie collectiviste planifiée où les prix ne dépendent que des décisions du pouvoir central et ne correspondent à aucune réalité économique si ce n'est à la finalité économique poursuivie par ce pouvoir, ou que le « juste prix » médiéval qui n'est qu'une notion éthique, voire métaphysique, subjective et sans réalité économique.

Nous nous efforcerons de montrer le rôle essentiel de l'anticipation spéculative dans la création de la valeur en économie de marché sur le plan théorique, le rôle primordial de cette anticipation spéculative dans notre économie de marché actuelle, le rôle fondamental de cette anticipation spéculative dans toute économie progressive, enfin nous en tirerons quelques conclusions sur l'avenir de notre économie et quelques recommandations de politique économique.

***

1 – Le rôle essentiel de l'anticipation spéculative dans la création de la valeur en économie de marché, aspect théorique

1.1. La valeur

Le prix d'un bien ou d'un service dépend de la loi de l'offre et de la demande :

$$P = f \, \frac{Ds}{O}$$

Le prix augmente lorsque le rapport $\frac{Ds}{O}$ augmente et le prix baisse lorsque le rapport $\frac{Ds}{O}$ diminue, la variation pouvant venir soit de la demande solvable qui s'accroît ou se réduit, soit de l'offre qui de même diminue ou augmente.

La variation du prix par rapport à $\frac{Ds}{O}$ est mesurée par la notion d'élasticité du prix par rapport au couple $\frac{Ds}{O}$:

$$\varepsilon = \cfrac{\dfrac{\Delta P}{P}}{\dfrac{\Delta Ds \times O - \Delta O \times Ds}{O \times Ds}}$$

Ce qui est peu différent de :

$$\varepsilon = \cfrac{\dfrac{\Delta P}{P}}{\dfrac{\Delta Ds}{Ds} - \dfrac{\Delta O}{O}}$$

Où Δ représente les variations du prix P, de la demande solvable Ds et de l'offre O, et ε l'élasticité.

On sait que les biens les plus indispensables ont de fortes élasticités-prix par rapport au couple Demande solvable-Offre, alors que les biens superflus ou ceux pour lesquels il existe des produits de substitution ont de faibles élasticités.

En fait, il faut décomposer l'opération dans le temps car, en économie de marché, les quantités échangées correspondent toujours aux quantités offertes, de telle sorte que l'offre « ex post » est toujours égale à la demande solvable. Mais « ex ante » il n'en est pas ainsi et l'augmentation de la demande ou la raréfaction de l'offre exerce une pression à la hausse sur les prix et l'accroissement du prix va réduire par rationnement la demande pour la ramener au niveau de l'offre en ne permettant la satisfaction que des demandes acceptant de payer les prix les plus élevés. Ce qui peut s'exprimer ainsi :

En T1		Ds1 = O1	à un prix P1
En T2		Ds2 > O1	} et P2 > P1
	ou	O2 < Ds1	
En T3		Ds3 = O1	} à un prix P2
	ou	Ds3 = O2	

La demande potentielle supérieure à l'offre (Ds2 – O1 ou Dsl – O2) a été éliminée du marché par le prix P2 > P1.

La valeur sera représentée par le prix multiplié par la quantité échangée :

$$V = P\,Q$$

Et, dans le cas d'un accroissement du rapport $\frac{Ds}{O}$, la valeur échangée ne sera pas la même selon que l'accroissement du rapport est dû à l'augmentation de la demande ou à la diminution de l'offre. Dans le premier cas, la valeur échangée augmente toujours même si l'élasticité prix est faible. Dans le second cas, la valeur de la quantité échangée ne baissera avec la diminution de l'offre que si l'élasticité prix est inférieure à l'unité. Si elle est supérieure à l'unité, la valeur échangée va augmenter bien que la quantité échangée diminuera, parce que le prix augmente plus que proportionnellement à la diminution de celle-ci. Ce phénomène n'est autre que l'effet King constaté en matière de produits agricoles : une petite récolte rapporte une plus forte recette aux agriculteurs qu'une récolte abondante, en économie de marché libre, parce que les prix augmentent plus que les quantités offertes ne diminuent, et inversement.

Il est bien évident que dans ce dernier cas la valeur-prix accrue du bien échangé par diminution de l'offre ne correspond pas à une augmentation de la valeur économique réelle puisque les quantités échangées produites ont diminué et, de même, par le fait, les besoins satisfaits.

On constate donc que, tandis que les anticipations spéculatives relatives aux variations de la demande sont toujours bénéfiques parce qu'elles ont pour effet d'adapter l'offre à la demande, les manœuvres qui tendent à réduire l'offre, alors que la demande ne varie pas ou augmente, ont des effets pervers car elles entraînent des hausses de prix ne correspondant pas à des augmentations de satisfaction mais à des diminutions de quantités échangées et donc de satisfaction.

Nous rencontrons là les effets pervers de la spéculation avec accaparement dans les cas, heureusement assez rares il est vrai, de contrôle de l'offre grâce à des pratiques restrictives de la concurrence telles qu'entente ou monopole. Ces effets néfastes justifient les dispositions et les pratiques tendant à lutter en économie de marché contre toute restriction de la concurrence et tentative de contrôle de l'offre.

Mais il s'agit là de pratiques qui dépassent la seule anticipation spéculative puisqu'elles entrent dans le domaine de l'action (restrictive). Il devient facile de prévoir le marché si on a le pouvoir de fabriquer l'avenir de ce marché en en contrôlant l'offre. Le jeu du marché est alors faussé. C'est malheureusement ce qui se passe aujourd'hui sur le marché du pétrole où l'offre est contrôlée par l'entente des pays de l'O.P.E.P.

1.2. <u>La création de la valeur</u>

D'une façon générale, il y aura création de valeur économique chaque fois que l'on rapprochera l'offre réelle de la demande potentielle, ou l'offre ex post de la demande ex ante. Et ceci quelque soit le moyen : par la production de biens et services (activité industrielle ou agricole), mais tout autant par le transport dans l'espace et l'arbitrage, le stockage dans le temps et la spéculation proprement dite, ou la distribution (activité commerciale). Toutes ces activités, du fait qu'elles se déroulent dans le temps et dans l'espace, supposent comme élément essentiel l'anticipation spéculative de la demande et de l'offre, du rapport $\frac{Ds}{O}$.

Cette réalité est couramment exprimée sous le terme de prévision des ventes ou de prévision du marché, élément essentiel de l'activité marketing, ou bien encore est englobée dans le terme, un peu vague à notre avis, de « stratégie » de l'entreprise.

Nous préférons la terminologie « anticipation spéculative » pour plusieurs raisons. D'abord parce que la décision de produire d'un producteur ou de vendre d'un commerçant ne diffère pas par nature de la décision d'un spéculateur qui anticipe les marchés.

Ensuite, parce que le terme prévision fait croire abusivement à une possibilité d'anticiper scientifiquement l'avenir en faisant disparaître toute incertitude. Et les responsables de la prévision savent bien que cela est impossible, qui disent toujours qu'ils font de la prévision mais non de la prophétie. Tout au plus la prévision, aussi scientifique que possible, peut-elle prétendre à réduire la marge d'incertitude, le risque d'erreur, et par le fait à diminuer le risque de tout agent économique qui anticipe l'avenir.

Enfin la prévision est seulement préparatoire à la décision et c'est la décision (de produire ou non, d'acheter ou non, de stocker ou non, de transporter ou non, de vendre ou non) qui modifiera l'équilibre $\frac{Ds}{O}$, sera créatrice de valeur et aura son impact sur les quantités échangées et les prix. La prévision, si elle ne débouche pas sur une décision, c'est-à-dire sur une action économique, demeure sans effet ; et le risque inhérent à cette décision dans l'appréhension du futur est l'élément irréductible et essentiel, générateur de tous les gains (création de valeur) ou de toutes les pertes (destruction de valeur).

On entend ici par anticipation spéculative toute décision d'agent économique entraînant une intervention d'une certaine durée dans l'activité économique et par le fait affectant l'avenir, ou même une décision immédiate, en vue d'une opération économique future, décision nécessitant, dans l'un et l'autre cas, la prise en considération des coûts et des prix, présents et futurs, fonction en économie de marché de l'évolution prévue du rapport $\frac{Ds}{O}$.

Le cas le plus courant et le plus simple, que nous retiendrons ici comme hypothèse théorique de base, est celui d'une décision d'achat ou de production, en vue d'une vente future. Mais l'anticipation spéculative concerne aussi bien la décision d'investir ou de ne pas investir, d'emprunter ou de ne pas emprunter, d'épargner ou de ne pas épargner, de consommer ou de ne pas consommer, de travailler ou de ne pas travailler, etc. Bref, toute décision d'un agent économique s'inscrivant dans la durée. A la limite, seul l'« homo economicus » ou l'organisme économique, en instance de disparition par décès dans un cas ou par dissolution dans l'autre, n'est pas concerné par l'anticipation spéculative, encore qu'il le soit s'il prend en considération l'intérêt de ses héritiers ou le sort de son patrimoine.

En effet, comme exemple d'anticipation spéculative nécessaire à une action économique s'inscrivant dans le temps, on peut citer la décision d'emprunter ou non dont la rentabilité, toute chose étant égale par ailleurs, sera affectée par le rythme de l'inflation, la décision de produire dont la rentabilité, toute chose étant égale par ailleurs, sera affectée, par l'évolution des coûts de production, prix des matières premières, des produits intermédiaires, de l'argent, taux du salaire, etc. Dans ce cas d'action économique durable, l'incertitude, donc l'anticipation, portent sur les coûts futurs.

Dans le cas d'une décision actuelle et finie en vue d'une opération future, l'incertitude et donc l'anticipation portent sur les prix futurs ; c'est le cas courant du commerce, du stockage et de la spéculation.

Dans le cas d'une décision d'investir ou plus généralement de produire en vue d'une opération future (vente le plus souvent), l'anticipation spéculative est double : elle porte à la fois sur les coûts de production et sur les futurs prix de vente.

Pour simplifier, nous retiendrons dans notre schéma théorique le cas le plus simple d'une décision actuelle et finie en vue d'une opération future, qui est l'achat pour revendre des opérations commerciales ou spéculatives. Mais il faut bien avoir présent à l'esprit que toute opération économique s'inscrivant dans la durée ou réalisée en vue d'une opération future est matière à anticipation spéculative, de telle sorte que l'activité économique, la vie économique est faite d'une multitude d'anticipations spéculatives conscientes ou non, qui s'entrecroisent et s'enchevêtrent et, dans l'économie de marché, constituent le marché-même, comme le montre le cas exemplaire de la bourse. Voici sur ce sujet ce qu'écrit Pierre Massé à propos du plan de l'Etat mais qui est aussi valable en ce qui concerne les décisions des entreprises et de tous les agents économiques : « ... *l'ensemble des décisions qui joignent le présent au futur, le plan en fait, est en réalité une suite de décisions échelonnées dans le temps et entremêlées avec l'apparition d'aléas euxmêmes successifs. C'est cette séquence alternée qui met aux prises l'action aléatoire de l'environnement et l'action contre-aléatoire de l'homme. En d'autres termes, si le temps joue contre nous en nous opposant la surprise, il joue simultanément pour nous en nous permettant la parade et la riposte.* » [3].

Ce qui est déterminant, pour qu'il y ait création de valeur, c'est la mise à disposition d'une offre face à la demande. Contrairement à ce que beaucoup pensent, même parmi les économistes, il importe assez peu pour qu'il y ait création de valeur, qu'il y ait ou non production. La mise à disposition de produits bruts ou de produits déjà existants depuis longtemps, mais non utilisés jusqu'ici (antiquités conservées dans des greniers par exemple) est aussi créatrice de valeur que la mise à disposition de la demande par la production, alors que la production par elle-même sans qu'il y ait une demande pour l'absorber ne crée aucune valeur et se traduit simplement par une perte, équivalente à son coût (exemple des invendus dans le commerce ou des « bouillons » dans le journalisme). La Hollande a fait sa fortune par le commerce de commission et non par l'industrie. Un pays de bons spéculateurs sera à juste titre toujours plus riche parce que plus créateur de valeur qu'un pays de producteurs peu soucieux de débouchés. Historiquement d'ailleurs, c'est par le commerce et non par l'industrie que le développement économique s'est amorcé : en Italie, à Venise, dans les villes de la Hause, dans les foires de Champagne et avec les grandes découvertes espagnoles et portugaises.

En d'autres termes, on pourrait dire qu'en économie, et particulièrement en économie de marché, il y a un effet de domination de la demande solvable et partant, en matière d'économie de l'entreprise, de l'activité marketing.

1.3. <u>La valeur additionnelle ou la croissance de la valeur : le profit et le superprofit</u>

L'existence d'un profit normal sur un marché est la preuve que l'offre correspond à une demande réelle solvable. On entend par profit normal la rémunération normale du risque de l'anticipation spéculative effectuée par l'entrepreneur, profit qui lui permet de réaliser ensuite des investissements, soit par autofinancement, soit en faisant appel avec succès au marché des capitaux (ce qui est le cas lorsque l'entreprise distribue des dividendes). Cette situation permet à l'économie de progresser en autorisant des investissements nets.

Inversement, l'inexistence d'un profit est le signe que l'offre ne correspond pas à une demande réelle solvable, soit qu'il n'y ait pas de demande réelle pour absorber l'offre (bien peu apprécié, démodé, surabondant, de mauvaise qualité, etc.), soit qu'il y ait une demande réelle mais que celle-ci ne soit pas solvable (par exemple demande alimentaire en provenance de pays du tiers-monde non producteurs de pétrole). Dans ce cas là, l'économie ne peut progresser faute d'investissements nets privés sauf à obtenir des subventions de l'Etat ou à réaliser des investissements nets publics, mais alors on sort de la pure économie de marché, pour entrer dans le domaine de l'économie mixte semi-collectivisée. Et si la situation de l'entreprise ou du secteur n'est pas équilibrée mais présente des pertes (situation de la sidérurgie française au cours de ces dix dernières années) non seulement l'économie ne peut progresser, mais elle régresse du fait d'une perte de valeur égale à l'excédent des coûts sur les recettes.

C'est donc bien à tort que l'opinion publique méprise le profit et le tient en suspicion. Et c'est à juste titre que le chancelier Helmut Schmidt a pu dire : « les profits d'aujourd'hui sont les investissements de demain et les emplois d'après-demain. »

1.3.1. Le cas de l'extension de la demande

1.3.1.1. Extension quantitative de la demande

Lorsque la demande solvable augmente quantitativement du fait d'un accroissement démographique ou d'une hausse du niveau de vie ou de l'apparition d'une « demande périphérique dynamique » (demande étrangère dans les pays de niveau de vie voisin et ensuite dans les pays moins développés où il existe une classe sociale aisée)[4], le prix augmente et se situe à un niveau supérieur faisant apparaître un super profit pour les offreurs initiaux aussi longtemps que l'offre n'a pas augmenté de façon proportionnelle.

Phase initiale :

Ds0 : O0   pour un prix   P0

1° phase :

Ds1 > Ds0   pour un prix   P1 > P0

Mais Dsl, demande potentielle, ne permet un échange que de la quantité Oo par sélection de Dsl par Pl.

Puis, dans une deuxième phase, les offreurs qui ont fait une anticipation spéculative exacte, vont apporter sur le marché leur offre additive qui va entraîner une baisse des prix. Si le rapport de cette offre additive à l'offre initiale est inférieur au rapport de la demande additive à la demande initiale, le nouveau prix sera supérieur au prix initial mais inférieur au prix de la première phase, et les offreurs se partageront le super profit de la première phase avec les consommateurs qui en bénéficieront sous forme de rente relative du consommateur par rapport à la première phase. Si le prix de la phase 2 est plus proche du prix de la phase 1 que du prix initial, le super profit des offreurs sera supérieur à la rente de consommation des acheteurs et inversement.

La prise en considération de l'élasticité prix par rapport au couple Demande/offre permettrait de calculer les prix de la phase 1 et 2.

2° Phase :

1° hypothèse :

$$O2 > O0 \qquad \text{mais} \qquad \frac{\Delta O2}{O0} < \frac{\Delta Ds1}{Ds0}$$

de telle sorte que $\quad$ P1 > P2 > P0

S2 = (P2-Po) x O2
où $\quad$ S2 représente le superprofit des offreurs

G2 = (P1-P2) x O2
où $\quad$ G2 représente la rente relative des acheteurs

Si P2 - P0 > P1-P2 ou si P2-P0 > $\dfrac{P1-P0}{2}$

S2 > G2 $\;$ et inversement.

Si le rapport de cette offre additive à l'offre initiale est égal au rapport de la demande additive à la demande initiale, le prix en deuxième phase est ramené au niveau du prix initial. Les offreurs n'ont plus de superprofit, lequel va entièrement aux consommateurs. Il ne reste aux offreurs nouveaux et initiaux que le profit normal unitaire des offreurs initiaux multiplié par la quantité de l'offre en deuxième phase. C'est le cas de la deuxième hypothèse suivante exprimée en langage symbolique :

2° hypothèse :

O2 > O0 $\qquad$ mais $\qquad$ $\dfrac{\Delta O2}{O0} = \dfrac{\Delta Ds1}{Ds0}$

de telle sorte que $\quad$ P2 = P0 < P1

S2 = (P2-P0) x O2 = 0

G2 = (P1-P2) x O2

Il existe une troisième hypothèse où le rapport de l'offre additive à l'offre initiale est supérieur au rapport de la demande additive à la demande initiale. Dans ce cas-là, le prix en deuxième phase est inférieur au prix de la phase initiale et le superprofit cède la place à une perte pour les offreurs. C'est le cas de l'anticipation spéculative erronée, assimilable à la mauvaise spéculation par excès d'offre. Il n'en reste pas moins que les consommateurs vont bénéficier par rapport à la première phase d'une rente maximum égale à la différence entre le prix de la première phase et le prix de la deuxième phase multipliée par l'offre apportée sur le marché.

3° hypothèse :

$$O2 > O0 \qquad \text{mais} \qquad \frac{\Delta O2}{O0} > \frac{\Delta Ds1}{Ds0}$$

de telle sorte que $\qquad P2 < P0 < P1$

$$S2 = -(P1-P2) \times O2$$

$$G2 = (P1-P2) \times O2$$

Pour simplifier le raisonnement, on a fait l'hypothèse que le coût de l'offre additionnelle était le même que celui de l'offre initiale. Si celui-ci en diffère, le raisonnement est le même, si ce n'est que le superprofit des nouveaux offreurs est soit diminué de la différence entre leur coût et le coût de l'offre initiale si le premier est supérieur au second, soit accru de cette différence si c'est l'inverse.

Enfin, il existe une quatrième hypothèse, c'est celle où le sens même de l'anticipation spéculative est erroné. Le décideur anticipe une baisse de la demande alors que celle-ci s'accroît, et, en conséquence, il diminue son offre. Le prix de la deuxième phase est supérieur non seulement à celui de la phase initiale mais aussi à celui de la première phase. Le superprofit est remplacé par un manque à gagner pour les offreurs qui, en phase deux, ont diminué leur offre, manque à gagner qui est égal à la différence entre ce qu'aurait été le prix de la troisième phase et le prix de la phase initiale multiplié par la quantité de l'offre ayant fait l'objet de réduction. Et ce montant est aussi celui de la valeur perdue par les consommateurs ou acheteurs potentiels, montant accru de la baisse de prix qui aurait eu lieu en troisième phase si celle-ci avait comporté l'offre des mauvais spéculateurs, multiplié par la quantité de bien échangé sur le marché.

En conclusion, dans le cas de l'accroissement quantitatif de la demande, l'anticipation spéculative a toujours un effet bénéfique pour les consommateurs et concourt toujours à l'accroissement de la valeur économique hormis le cas où l'anticipation spéculative est faite dans le mauvais sens, ce qui devrait être le cas le moins probable si la prévision des marchés a la moindre efficacité[5].

1.3.1.2. Extension qualitative de la demande

On entend ici par extension qualitative de la demande, une augmentation de la demande, non pas en quantité physique mais en valeur, par l'amélioration et notamment la sophistication accrue des produits fournis ou même la création de nouveaux produits.

Là encore, l'anticipation spéculative de la demande à un rôle décisif dans l'amélioration des produits existants ou le lancement de nouveaux produits.

Mais le raisonnement précèdent n'est plus applicable, s'agissant de produits différents donc non homogènes et non additifs.

En outre, dans le cas de l'extension qualitative de la demande, c'est l'offre nouvelle elle-même qui suscite, en cas de succès, la demande. Il s'agit d'anticiper la demande potentielle solvable du nouveau produit, demande potentielle solvable que tous les moyens du *marketing-mix* s'efforceront d'anticiper (recherche de nouveaux produits, étude de marché, prévision du marché, etc.) et de susciter (publicité, promotion des ventes, exposition, démonstration, etc.).

La valeur additionnelle apportée par le produit nouveau se traduira d'abord par le superprofit des nouveaux offreurs diminué de la perte des anciens offreurs évincés du marché, augmenté de la rente en prix et en satisfaction des nouveaux acheteurs, diminuée de la perte des acheteurs du produit ancien évincé, total dont il faudrait encore déduire les nuisances et pollutions écologiques de la nouvelle offre (par exemple, les déchets nucléaires, déchets non biodégradables tels que plastique, pollution de l'air et de l'eau, etc.) pour avoir une vue d'ensemble de la valeur créée.

D'une façon générale, le superprofit des nouveaux offreurs est important au début car ils se trouvent, de par leur avance technologique ou grâce à la protection de brevets et licences, dans une situation de quasi monopole. Le fait qu'ils rencontrent une demande de la part des acheteurs montre qu'ils laissent à ceux-ci une partie de leur superprofit potentiel sous forme de rapport satisfaction/coût. Avec la disparition progressive du monopole des nouveaux offreurs, le superprofit de ceux-ci va petit à petit se transformer en rente relative des consommateurs, par un effet de vase communiquant ou de tache d'huile.

Si l'anticipation spéculative est erronée, le produit ne trouve pas de demande donc de débouché. C'est ce qui s'est produit pour l'Estelle de Ford ou le Corfam de Dupont de Nemours. La perte est représentée par le coût de mise au point, de lancement et de production du produit, mais cette perte est limitée à l'offreur si la collectivité (Etat) ne lui vient pas en aide, ce qui est parfois le cas lorsqu'il est menacé de faillite. Les consommateurs n'y perdent rien.

Du fait que l'on se trouve dans le cadre d'une économie progressive, le cas le plus courant d'anticipation spéculative est celui qui concerne l'augmentation de la demande.

Toutefois, on voit apparaître un autre cas, de plus en plus courant de nos jours, avec l'industrialisation des pays développés, c'est l'augmentation de l'offre.

1.3.2. Le cas de l'augmentation de l'offre

Sauf à contrôler l'offre, il est presque aussi important de prévoir l'évolution de celle-ci que de la demande.

1.3.2.1. Augmentation quantitative de l'offre

Maintenant que les frontières sont largement ouvertes – et leur fermeture partielle ou totale ne nous parait pas une solution – une anticipation spéculative exacte de l'offre totale dans le cas d'une augmentation quantitative de celle-ci conduira en temps opportun au choix suivant :

– soit s'il est jugé possible à un effort de réduction des coûts pour atteindre à la compétitivité avec les nouvelles offres, car l'excèdent de l'offre se traduira par l'élimination des offres les plus coûteuses ;

– soit à une réduction progressive de l'offre nationale propre à l'entreprise qui permettra d'éviter des ventes en dessous du coût et le gaspillage d'investissements non utilisés faute de rentabilité, ce « manque à perdre » s'analysant comme un gain relatif pour l'entreprise comme pour la collectivité, dans la mesure où l'entreprise fait partie de la collectivité.

Cette réduction de l'offre ne veut pas dire abandon total de la production de la branche. Certains équipements demeurent rentables, certains créneaux (textiles élaborés, métaux spéciaux, etc.) permettent dans les secteurs pléthoriques la compétitivité, soit qu'ils ne soient pas atteints en ce qui les concerne par l'excédent de l'offre, soit que les pays industrialisés y conservent des avantages de production face à la concurrence des pays neufs.

En tout état de cause, ce sera à la puissance publique d'intervenir pour maintenir par son aide la part de production qu'elle juge indispensable aux fins d'indépendance, ainsi qu'elle le fait en France dans le domaine de la production de jumelles an maintenant l'existence à des fins militaires d'une entreprise française que la concurrence japonaise et sud-est asiatique eût fait disparaître.

Inversement, une absence d'anticipation ou une anticipation erronée entraîne des pertes importantes non seulement pour la firme mais, presque toujours, aussi pour la collectivité avec le coût des investissements inutilisés, des mouvements sociaux, licenciements, chômage, reclassement, diminution des rentrées fiscales, etc. L'exemple de la sidérurgie en France et en Angleterre illustre malheureusement cette situation.

1.3.2.2. Augmentation qualitative de l'offre

L'augmentation qualitative de l'offre proviendra de l'amélioration de produits existants et du lancement de produits nouveaux.

Cette situation est proche de l'augmentation qualitative de la demande que nous avons vue précédemment être conditionnée et suscitée par l'augmentation de l'offre. Mais, dans le cas précédent, on fait l'hypothèse que l'offre nouvelle est le fait de l'offreur qui fait l'anticipation spéculative et lance le nouveau produit, alors que, dans le cas présent, l'anticipation spéculative constate d'abord l'existence d'une offre nouvelle étrangère ou concurrente.

Une stricte application de la loi du marché conduirait à réduire l'offre initiale déplacée par l'offre nouvelle et à abandonner celle-ci à la concurrence, le plus souvent étrangère, mieux placée habituellement quant au coût du fait de son avance technologique. Mais une telle attitude serait beaucoup plus dommageable que dans le cas précèdent d'extension quantitative de l'offre, car précédemment il s'agissait de produits anciens déjà offerts par l'entreprise ou la collectivité nationale, tandis qu'il s'agit ici de produits nouveaux, de technologie évoluée, point de passage obligé du progrès et porteurs d'avenir. C'est par exemple le cas de l'informatique, des microprocesseurs, des satellites, etc.

On comprend que dans ces domaines de pointe le défi soit relevé et que, soit les firmes privées en collaboration avec des firmes étrangères (microprocesseurs, informatique), soit la puissance publique, (subventions pour la production de microprocesseurs, d'ordinateurs, de surveillance satellites, etc.) se lancent dans la production de ces nouveaux produits et adoptent ces nouvelles techniques même sans atteindre à une compétitivité au départ dans l'espoir d'atteindre une rentabilité future et de bénéficier de retombées technologiques et économiques bénéfiques. Cet espoir, cette anticipation spéculative est d'autant plus légitime que, s'agissant de produits nouveaux, il est vraisemblable qu'ils vont connaître des marchés en expansion et à l'avenir une demande accrue qui tendra à augmenter les prix de vente tandis que les progrès techniques permettront un abaissement des coûts.

Ici la distinction entre marchés porteurs et marché en récession, technologie avancée et production traditionnelle ou de main d'œuvre, est fondamentale.

Inversement, une anticipation spéculative inexacte conduira à la poursuite de productions obsolètes qui ne trouveront pas preneur et entraîneront une perte sèche pour l'offreur et par le fait pour la collectivité dont celui-ci fait partie, perte pour l'offreur qui sera peut-être diminuée des subventions qu'il recevra des pouvoirs publics, mais qui restera inchangée pour la collectivité et accrue pour les contribuables.

1.3.3. Le cas de la diminution de la demande

La situation du marché en récession correspond au cas de la diminution da la demande.

1.3.3.1. Diminution quantitative de la demande

La prévision, l'anticipation spéculative devra faire la distinction, comme d'ailleurs dans tous les cas de variation de l'offre et de la demande, entre la diminution conjoncturelle et donc temporaire de la demande et la diminution tendancielle et donc définitive de celle-ci.

C'est à cette dernière qu'il conviendra surtout d'adapter l'offre en prenant en considération la baisse des prix relatifs prévisible sur le marché. Comme dans le cas d'augmentation de l'offre, deux politiques sont envisageables :

– une politique de poursuite de l'offre avec réduction des coûts si elle est possible ;

– une politique de réduction de l'offre pour éviter des risques de ventes en dessous des coûts.

La situation ressemble à celle de l'accroissement de l'offre, mais elle est plus grave et incite plutôt à choisir la deuxième politique car s'il s'agit d'une baisse tendancielle du marché, les prix relatifs continueront de baisser et le premier effort de réduction des coûts s'avérera insuffisant et devra être poursuivi sans fin.

Une anticipation spéculative erronée conduira à des ventes à perte pour l'offreur, compensée pour la collectivité par une rente de consommation d'égal montant des acheteurs ou par des invendus qui constitueront une perte pour l'offreur mais aussi une perte sèche pour la collectivité

1.3.3.2. Diminution qualitative de la demande

L'apparition de nouveaux produits entraîne une chute de la demande des produits traditionnels.

A moins que la prévision diagnostique un seuil en dessous duquel la diminution de la demande n'ira pas, l'offreur a en général intérêt à réduire son offre en fonction de la demande, voire plus rapidement, et à se convertir à de nouveaux produits à demande en expansion. C'est le problème de la diversification vers des marchés porteurs.

Une anticipation spéculative fausse conduira à des invendus et à une perte sèche pour l'offreur, équivalente au coût de son offre, et pour la collectivité.

1.3.4. Le cas de la diminution de l'offre

Plus rare que les précédents dans une économie progressive est le cas de la diminution de l'offre.

Il existe cependant des cas de diminution de certaines matières premières comme le charbon et peut-être pour l'avenir de certaines autres comme le pétrole.

D'une façon générale, l'esprit humain a jusqu'ici toujours relevé à temps le défi de la réduction de l'offre d'une matière en recourant à un produit de substitution plus abondant et plus productif, ainsi la houille à l'égard du charbon de bois et le pétrole à l'égard de la houille. Une vue optimiste des choses laisserait penser qu'il continuera à l'avenir d'en être ainsi.

L'anticipation spéculative sera conduite à développer des offres nouvelles du produit en diminution ou de produits substituables.

C'est ainsi que la diminution prévisible de la production de pétrole incite les compagnies et les gouvernements à accélérer la recherche de nouveaux gisements et à diversifier leurs ressources en faisant appel à d'autres sources d'énergie (huile lourde, schistes bitumineux, nucléaire, solaire, géothermie, biomasse, etc.).

Cette anticipation spéculative, si elle est exacte, comportera d'autant moins de risque et sera d'autant plus créatrice de valeur économique que la pénurie de l'offre entraînera une hausse du prix du produit en diminution, au-dessus du seuil de rentabilité d'exploitation des sources nouvelles (cas du pétrole offshore, puis bientôt de l'huile lourde et des schistes bitumineux), en même temps que la mise en exploitation de façon massive de ces sources nouvelles amènera un abaissement du coût de leur production.

Une anticipation en sens contraire amènera l'offreur à ne pas augmenter son offre comme il le pourrait et à un manque à gagner pour lui et les consommateurs égal à la différence entre son coût et le prix unitaire du marché multiplié par la quantité d'offre à laquelle il a renoncé du fait de sa mauvaise anticipation.

1.4. Le cas de la croissance de la valeur par réduction des coûts

A côté de la création de valeur additionnelle par l'anticipation spéculative du rapport demande/offre, c'est-à-dire du marché, il existe une deuxième possibilité de créer de la valeur additionnelle qui est de réduire les coûts d'approvisionnement ou de production.

Cette réduction des coûts peut se manifester de façon quantitative ou qualitative.

1.4.1. Réduction quantitative des coûts

C'est le cas de l'intervention sur le marché de nouveaux offreurs ayant des coûts moins élevés soit du fait du bon marché de leur main-d'œuvre (cas des pays moins développés et notamment du sud-est asiatique en matière textile et sidérurgique), soit du fait des rentes de situation (minerais riches, implantation géographique favorable, etc.)

Les nouveaux offreurs vont au départ bénéficier d'un superprofit correspondant à leur rente de production, mais leur offre additionnelle viendra faire baisser les prix du marché et une partie de leur superprofit proportionnelle à la baisse des prix sera concédée aux acheteurs comme rente du consommateur.

Pour le décideur qui aura à prévoir l'évolution du marché, la situation se ramène au cas déjà envisagé d'accroissement de l'offre.

Globalement, la situation s'analyse comme une création de valeur additionnelle au niveau de l'économie mondiale mais, localement, la concurrence des nouveaux offreurs peut porter préjudice aux anciens.

1.4.2. Réduction qualitative des coûts

On entend par réduction qualitative des coûts, la diminution de ceux-ci par la mise en œuvre de technologies ou de pratiques nouvelles moins coûteuses.

Là encore, les techniques nouvelles vont faire bénéficier au départ ceux qui les utilisent d'une rente de production génératrice d'un superprofit. Mais bientôt ce superprofit incitera les autres offreurs à adopter les techniques nouvelles dès qu'ils le pourront (brevets tombés dans le domaine public, changement d'équipement, etc.), et l'offre augmentera entraînant une baisse des prix qui transférera aux acheteurs une part du superprofit sous forme de rente de consommation.

Comme dans le cas précédent, le décideur se trouve face à une augmentation de l'offre qu'il lui appartient d'anticiper.

Le cas de l'application de l'informatique à l'imprimerie qui a rendu obsolète la technique traditionnelle de la typographie est un exemple récent de ce phénomène.

Globalement, il y a création de valeur additionnelle mais, localement, la ruine des techniques anciennes peut entraîner des pertes et des dépenses de conversion.

1.5. Le rôle essentiel de l'anticipation spéculative dans la création de la valeur

Nous constatons donc qu'il y a deux possibilités essentielles de création de la valeur : l'une, en satisfaisant une demande nouvelle additionnelle qui constitue le front marchant du développement économique en extension ; l'autre, en réduisant les coûts d'approvisionnement ou de production, création de valeur additionnelle, non plus par extension mais par approfondissement et perfectionnement des techniques. La première création de valeur pourrait être qualifiée d'horizontale et la deuxième de verticale.

Ces deux processus créateurs de valeur se rejoignent d'ailleurs et se confortent l'un, l'autre, de façon cumulative :

– D'une part, l'extension de la demande de façon quantitative permet la production en série génératrice de réduction des coûts ; l'extension de la demande de façon qualitative met sur le marché des produits nouveaux qui s'imposent grâce à leur meilleur rapport satisfaction/coût, ce qui correspond à une réduction réelle des coûts ; l'augmentation de l'offre conduit par le biais de la baisse des prix à une extension de la demande.

– D'autre part, la réduction quantitative et qualitative des coûts permettant une augmentation du superprofit aboutit à un accroissement de l'offre générateur d'une baisse des prix qui permet l'extension de la demande.

1.5.1. Intervention indispensable de l'anticipation spéculative dans la création de la valeur

Dans tous ces processus économiques, l'anticipation spéculative a un rôle de premier plan à jouer et la création de la valeur au profit d'abord de nouveaux offreurs puis de la collectivité des consommateurs n'est possible que si les décisions des offreurs sont fondées sur une anticipation spéculative exacte de l'évolution du rapport demande/offre. Dans le cas d'une extension de la demande (ou d'une réduction de l'offre), cette anticipation est nécessaire pour que l'offre satisfasse l'accroissement, absolu ou relatif, de la demande qui correspond à la valeur additionnelle créée. Dans le cas d'une réduction de la demande ou d'une augmentation de l'offre, l'antici-pation spéculative exacte permet d'éviter des pertes, ce qui est encore une façon de créer de la valeur.

Sans anticipation spéculative exacte, il n'y a pas création addi-tionnelle de valeur.

Le profit et le super profit sont la mesure et le critère de la valeur additionnelle créée que l'on pourrait aussi désigner par le terme de surplus économique ou de plus-value vidée de son sens marxiste, puisque c'est l'anticipation spéculative faite par les offreurs de l'évo-lution du rapport demande/offre qui est à l'origine de la création de la valeur et non le travail : un travail qui produit un bien ne correspon-dant pas à une demande, ne crée aucune valeur économique mais seulement des pertes correspondantes à son coût (exemple : les abat-toirs de la Villette). Dans ce dernier cas, le responsable de la perte n'est pas le travail qui est comme le capital un facteur de production neutre qui peut ou non concourir à la création de la valeur, selon que l'anticipation spéculative ayant décidé de sa mise en œuvre est exacte ou fausse, mais bien cette anticipation spéculative elle-même.

1.5.2. L'anticipation spéculative à l'origine même de la création de valeur additionnelle et donc de la croissance économique

L'anticipation spéculative indispensable à la création de la valeur économique additionnelle est à l'origine même de la croissance et du développement économiques en économie de marché par un quadruple processus :

– en suivant les orientations du marché ;

– en permettant par le superprofit et le profit des offreurs le finan-cement d'investissements nets ;

– en donnant naissance par l'abaissement des prix et les investissements à des revenus réels qui vont engendrer à leur tour une augmentation de la demande ;

– en atténuant les fluctuations des prix.

1.5.2.1. L'anticipation spéculative sur les traces de l'évolution du marché

On sait qu'en économie de marché ce sont les prix qui sont les indicateurs capables d'orienter l'offre vers la demande. Cette orientation serait parfaite en faisant abstraction du temps mais ce ne sont pas les prix de Tl qui vont rémunérer les offreurs qui ne pourront apporter leur offre additionnelle sur le marché qu'en T2. Il faut donc anticiper les prix en T2 et, pour cela, le rapport demande/offre en T2.

Autrement dit l'augmentation potentielle de la demande crée les conditions de la création de valeur additionnelle et de la croissance économique, mais cette valeur n'est créée et cette croissance réalisée que lorsque l'anticipation spéculative des offreurs permet de concrétiser cette demande potentielle en demande réelle permettant sa satisfaction.

L'anticipation spéculative est donc la détente même de la croissance économique. C'est elle qui va présider aux décisions d'offrir ou non, et par le fait, à l'allocation optimale des facteurs de production des biens ou des services.

Nombreux sont les économistes qui ont perçu le rôle primordial de l'anticipation dans la genèse du profit.

Ainsi, Raymond Barre écrit dans son manuel d'économie politique : « *Le profit ne peut se comprendre qu'à partir de l'acte d'entreprise et de la fonction d'entreprise dont nous savons qu'ils sont essentiels à l'économie décentralisée. Il est le résultat de l'exercice de cette fonction qui s'analyse par trois traits : a) l'organisation de la production b) l'exercice d'une autorité c) une activité dynamique, fondée sur des anticipations.* Ce point essentiel qui déborde l'analyse de Knight, a été mis en relief dans le remarquable essai de Keirstead sur la théorie des profits. « *Les profits,* écrit-il, *peuvent être de diverses sortes mais, dans tous les cas... ils résultent d'un comportement d'entreprise qui regarde au loin et qui est fondé sur des anticipations.* » (p 11) Il précise : « *Dans l'économie dynamique... les profits peuvent être obtenus comme le résultat des innovations, comme le résultat de pratiques de monopole (ou de monopsone), et comme le résultat de changements dans les prix. C'est la fonction de l'entrepreneur d'essayer de prévoir ces changements et de diriger l'action de la firme pour lui permettre de faire des profits.* » (p.351) Cette dernière phrase me parait particulièrement importante : il y a des « résidus » qui apparaissent dans une économie en mouvement mais ces résidus ne deviennent, en quelque sorte, profits d'une firme que par la médiation de l'entrepreneur.

Le profit apparaît donc fonctionnellement lié à l'activité d'entreprise qui s'insère elle-même dans la logique d'une économie de marché. Il naît d'une dialectique de l'entrepreneur et du milieu : « *le profit est le signe de la réussite dans l'organisation, l'autorité et la prévision* ».[6-7]

François Perroux écrit : « *Le profit mobilise le meilleur et le pire aux fins de l'efficience économique. Il est incertain et perd sa signification s'il est stabilisé ou limité. Il se forme aux points de jonction des anticipations créatrices, des observations exactes, des hasards de la conjoncture.* » [8]

1.5.2.2. Le superprofit et le profit à l'origine de l'investissement net

L'anticipation spéculative, en donnant naissance au superprofit et au profit, va permettre d'affecter celui-ci en totalité ou en partie aux investissements nets, soit directement par le biais de l'autofinancement, soit indirectement en faisant appel au marché des capitaux qui draine l'épargne des agents économiques et notamment des ménages.

Cet investissement net à partir du profit et du superprofit pourra se réaliser sans réduction de la consommation nécessaire à la création de l'épargne. En effet, le profit et le superprofit ne sont pas indispensables à l'investissement net, si les consommateurs acceptent de restreindre leur consommation pour épargner et investir. Mais cet effort d'épargne qui, à l'origine du développement des économies, implique la nécessaire austérité, voire le sacrifice de certaines catégories sociales ou de certaines générations (ouvriers textiles de l'Angleterre et de la France du XIXᵉ siècle, koulaks de la Russie soviétique des années 20 et 30, ouvriers japonais du début du XXᵉ siècle nourris d'un bol de riz, etc.), n'est plus nécessaire en économie développée grâce au profit et au superprofit qui permettent la croissance sans larmes, ce qui n'est précisément pas le cas des économies non développées. *« Les profits d'aujourd'hui sont les investissements de demain. »*[9]

Et l'investissement net, pourvu qu'il soit bien orienté vers la demande par des anticipations spéculatives exactes, va permettre la création de nouvelles valeurs économiques additionnelles, quantitatives et qualitatives, et la poursuite du processus cumulatif de la croissance par l'accumulation capitalistique.

1.5.2.3. L'anticipation spéculative à l'origine de l'accroissement des revenus réels distribués

On a vu que le superprofit, en suscitant l'augmentation de l'offre, était en partie au moins transféré aux acheteurs par la baisse des prix sous forme de rente de consommation, de telle sorte que les revenus réels des acheteurs, et en définitive des consommateurs finaux, se trouvent accrus.

Une autre source d'augmentation du revenu des ménages provient des superprofits et des profits distribués sous forme de dividendes aux actionnaires.

Enfin, les investissements nets sont, à leur tour, générateurs de revenus accrus sous forme de salaires distribués. *« Les investissements de demain sont les emplois d'après-demain. »* [9]

Et les revenus réels supplémentaires vont permettre une augmentation de la demande solvable et donc de la consommation réelle, ici aussi selon un processus cumulatif.

1.5.2.4. L'anticipation spéculative comme modérateur des fluctuations de prix

Le spéculateur qui réussit est celui qui achète quand les prix sont bas – et sa demande additionnelle les fait remonter – et qui revend lorsque les prix sont hauts – et son offre supplémentaire les fait baisser.

Normalement, la spéculation réussie tend à atténuer les fluctuations des prix. Il en est évidemment de même de l'anticipation spéculative qui ne se limite pas à la spéculation pure et simple mais intervient dans tous les actes économiques. On pourrait démontrer en effet que non seulement l'offreur mais aussi l'acheteur, le consommateur, ont recours à l'anticipation spéculative lorsqu'il anticipe ou diffère ses achats dans l'attente d'une hausse ou d'une baisse des prix réels.

Les économistes ont bien vu ce rôle de la spéculation qui est dans l'espace celui de la pratique de « l'arbitrage » et dans le temps celui de la spéculation proprement dite. Gaétan Pirou écrivait à ce sujet : *« Les spéculateurs sur le marché à terme exercent cette double fonction d'avertisseur, en ce qui concerne le futur, et d'amortisseur, en ce qui concerne le présent. »*[10] Et Charles Gide comparait les spéculateurs à « *ces ingénieurs qui remplacent les escarpements brusques par des pentes douces, prises de loin, sur lesquelles le commerce, au lieu de verser et de casser ses ressorts, peut rouler sans accident et même sans trop de cahots.* »[11]

Ce rôle d'atténuation des fluctuations de prix, joué par la spéculation et d'une façon plus générale dans toute l'activité économique par l'anticipation spéculative, est très utile car si les variations de prix correspondant à des accroissements de demande ou à des réductions d'offre réelles et durables sont nécessaires pour orienter le marché vers la satisfaction des besoins, les fluctuations et variations en dents de scie des prix constituent des phénomènes néfastes d'instabilité économique rendant très difficile le calcul économique et l'anticipation spéculative pertinente.

1.6. Les effets négatifs de la spéculation

Si l'anticipation spéculative a tant de vertus économiques, d'où vient que sa systématisation, sa quintessence financière[12] sous la forme de la spéculation – et notamment de la spéculation boursière à terme ou de la spéculation immobilière – ait si mauvaise réputation ?

Cette mauvaise réputation vient, en partie, d'un contexte idéologico-culturel, d'un paradigme favorable au travail et, par opposition, défavorable à la spéculation considérée comme génératrice d'un gain sans travail, donc injustifié. Ce qui est d'ailleurs contestable car la spéculation est un travail, particulièrement difficile et, ainsi que nous l'avons montré précédemment, la quintessence du travail économique parce que éminemment créateur, nécessitant une vaste information, un puissant effort de synthèse intellectuelle, un esprit de décision, et comportant un gros risque. Quoi qu'il en soit, les philosophes du travail, d'origine stoïcienne, chrétienne [13], bourgeoise et marxiste, se sont coalisés pour condamner sans appel la spéculation.

Mais il faut reconnaître que celle-ci leur a parfois objectivement donné des arguments. Il en est de la spéculation comme de toute chose : il y a des perversions de la spéculation, il y a la bonne et la mauvaise spéculation ou, pour éviter toute connotation éthique n'ayant rien à faire dans une approche scientifique, il y a la spéculation à effets économiques positifs, mais il peut y avoir, dans certains cas, des spéculations à effets économiques négatifs.

La spéculation peut avoir, selon nous, des effets négatifs pour l'économie (ou effets pervers) dans quatre cas bien précis – et dans quatre cas seulement :
– la spéculation à contresens,
– la spéculation sans risque,
– la spéculation avec accaparement,
– la panique spéculative.

1.6.1. La spéculation à contresens

La spéculation comporte, et c'est même là son rôle, un important risque d'erreur. Nous avons vu les cas d'anticipation erronée dont les plus courants sont les suivants :

On a anticipé un accroissement à terme de la demande et on s'est approvisionné ou on a investi en conséquence pour satisfaire cette demande accrue et celle-ci n'augmente pas ou même diminue, de telle sorte que les prix baissent au lieu d'augmenter. Ou bien la demande a réellement augmenté comme prévu mais l'offre s'est accrue encore davantage entraînant la baisse des prix.

Les cas récents de la sidérurgie et des chantiers navals français sont des exemples de mauvaises anticipations de ce genre: la demande n'a pas augmenté comme prévu et l'offre s'est beaucoup développée.

Les effets négatifs de l'erreur spéculative consistent en des pertes de valeur et en une aggravation des fluctuations de prix.

1.6.1.1. Les pertes de valeur consécutives à une erreur de spéculation

L'erreur de spéculation se traduit d'abord par une perte pour le spéculateur qui peut être, pour lui, importante et entraîner éventuellement sa faillite et sa ruine; il perd l'équivalent du capital, c'est-à-dire du stock monétaire qui lui avait permis de se procurer le bien, objet de la spéculation, et de le conserver (coût du stockage).

S'il s'agit d'un spéculateur privé, personne physique ou morale (société), la perte immédiate peut se limiter à son seul patrimoine, le spéculateur supportant le risque de son erreur, c'est le cas de la responsabilité privée qui consiste, pour le spéculateur, dans le risque de perdre tout ou partie de sa mise.

Si, au contraire, le spéculateur est une administration ou une collectivité, ou même une société privée subventionnée par les pouvoirs publics – ce qui a été le cas de la sidérurgie française par exemple – la perte est collectivisée (ou socialisée) et supportée par l'ensemble des contribuables, ce qui a pour effet de faire disparaître ou d'atténuer la perte des auteurs de la décision, c'est-à-dire de rendre le spéculateur partiellement ou totalement irresponsable, laissant ainsi les risques de l'anticipation à la collectivité.

Néanmoins, qu'il s'agisse de spéculateur privé ou public, sa perte sur le plan de la collectivité – si le bien, objet de la spéculation, est utilisé – est compensée en partie ou en totalité par la rente de consommation des acheteurs découlant de la baisse du prix provoquée par cette offre additionnelle et, en ce qui concerne l'effet immédiat, la perte pour la collectivité est représentée par la différence entre la perte du spéculateur et la rente de consommation des acheteurs, consécutive à la baisse du prix entraînée par l'offre additionnelle du spéculateur.

Il n'en va différemment que lorsque le bien, objet de la spéculation, du fait de la surabondance de l'offre, ne trouve pas acquéreur et est mis au rebut, ce qui se produit assez souvent pour les denrées agricoles périssables. Dans ce cas, la perte du spéculateur peut s'analyser aussi en une perte sèche pour la collectivité sans aucune compensation du côté des consommateurs.

En outre, malheureusement, les mauvaises anticipations spéculatives, lorsqu'elles revêtent une certaine ampleur, conduisent à des faillites, licenciements, grèves, troubles sociaux, dont en général les salariés et la collectivité font les frais sous forme de chômage, de licenciement, d'indemnités, de frais de conversion ou de reclassement. C'est ainsi que l'indemnisation des ouvriers de la sidérurgie française, licenciés par leurs entreprises, a coûté très cher à la collectivité. [14]

1.6.1.2. Les fluctuations de prix aggravés par les erreurs de spéculation

La spéculation à contresens, loin d'atténuer les fluctuations des prix, les amplifie pour le plus grand dommage d'un sain et harmonieux développement de l'économie.

1.6.2. La spéculation sans risque

Il est très important que le risque spéculatif soit supporté par l'auteur même de la décision spéculative. La responsabilité personnelle du spéculateur est la contrepartie indispensable du gain aléatoire de la spéculation et du risque économique qu'elle présente, faute de quoi la spéculation sans risque va se développer de façon intempestive. En effet, celui qui ne risque rien de perdre, mais a l'espoir d'un gain éventuel, est conduit à prendre pour les autres les risques les plus fous.

La spéculation sans risque est celle qui est faite par un spéculateur qui utilise non pas son propre capital, mais celui des autres et souvent celui de la collectivité.

C'est le fait des spéculateurs qui, frauduleusement, préfèrent spéculer avec l'argent des autres qu'avec le leur. Les exemples en sont fournis quotidiennement par la presse à scandale et sont de tous les temps. C'est le gestionnaire d'un portefeuille de titres d'une grande banque qui fait supporter à ses clients les mauvaises spéculations et se réserve les bonnes. Ce sont des commissionnaires de la bourse de marchandise qui, sur le sucre, se livrent à des pratiques analogues et tombent sous le coup d'inculpation pour escroquerie et abus de confiance. Autrefois, c'était le berger dont les moutons à sa garde, mangés par le loup, étaient toujours ceux qu'on lui avait confiés et jamais les siens. Tant qu'il y aura des hommes, il y aura des malhonnêtetés de ce genre.

Mais c'est aussi le cas du chef d'entreprise qui aventure l'argent de ses actionnaires. Pour éviter de telles pratiques, la loi exige que les administrateurs d'une société soient propriétaires d'une quantité minimum d'actions.

C'est enfin le cas des fonctionnaires, élus du peuple et politiciens, qui prennent des décisions engageant les deniers publics. Même si l'opération tourne à la catastrophe, le décideur peut y avoir intérêt. Le Président de la S.N.I.A.S. avait intérêt à construire Concorde qui accroissait son volume d'activité, son pouvoir, son prestige, voire son traitement, quelque soit l'issue commerciale du supersonique. Les théoriciens du *Public Choice* [15] ont bien mis en lumière que les décisions publiques sont prises par des personnes agissant toujours dans leur intérêt médiat, sinon immédiat. Pour limiter les risques spéculatifs avec les deniers publics, en France, les règles de la comptabilité publique ont imposé la séparation entre les ordonnateurs et les comptables et la multiplicité des contrôles paralysants et pas toujours efficaces. Voici d'ailleurs ce qu'écrit à ce sujet l'économiste du *Public Choice*, Gordon Tullock : *« Ce qui différencie une entreprise capitaliste d'un service administratif, ce n'est pas que les individus s'y comportent de façon différente mais le fait que les règles du jeu, les contraintes institutionnelles qui délimitent leur degré d'autonomie dans la poursuite de leurs objectifs personnels sont beaucoup plus rigoureuses dans l'entreprise privée que dans l'administration. D'où le résultat paradoxal que c'est dans l'entreprise que les actes individuels, toutes choses, égales par ailleurs, ont le plus de chance de coïncider avec l'intérêt général, cependant que c'est dans les bureaux, administratifs que les individus ont le plus de possibilités de laisser libre cours à la maximation de leurs intérêts individuels, que ceux-ci convergent ou non avec l'intérêt général. »* [16]

1.6.3. La spéculation avec accaparement

Nous avons vu précédemment qu'il n'y a pas création de valeur réelle chaque fois que les spéculateurs peuvent contrôler l'offre et la réduire pour faire monter les prix.

C'est un cas qui peut se produire lorsque l'offre est très limitée et rigide (il n'est pas possible de l'augmenter lorsque les prix montent). Cette offre très limitée est celle, par exemple, des terrains à bâtir dans les villes. C'est pourquoi la spéculation immobilière est l'une des plus développée et des plus discutables quant à ses effets et son rôle de création de valeur, celle-ci étant plus fictive que réelle.

Toute spéculation qui a pour effet de restreindre, pour faire monter les prix, a des effets négatifs.

Le cas présent du pétrole en est une illustration, sous cette réserve que ce ne sont pas les spéculateurs qui contrôlent l'offre mais les producteurs qui, par leur entente au sein de l'OPEP, sont maîtres des quantités offertes et des prix. La spéculation du marché de Rotterdam n'a qu'un un rôle marginal : elle enregistre les hausses de prix du marché libre consécutif à la pénurie, ce qui permet ensuite à l'OPEP d'augmenter sans coup férir le pétrole à la production en en limitant l'offre, politique facilitée par la défaillance de certains gros producteurs comme l'Iran.

Même dans le cas d'insuffisance de l'offre, le spéculateur a normalement un rôle bénéfique, dans la mesure où il apporte son offre additionnelle dans un marché qui en manque et où, pour prendre son bénéfice, il vend à un prix lucratif certes mais à un niveau inférieur à celui qu'aurait atteint le prix du marché si le spéculateur n'était pas intervenu avec son offre additionnelle.

On peut distinguer deux éventualités dans cette hypothèse, selon que l'offre est élastique ou non.

Si l'offre est élastique, le spéculateur va pouvoir se procurer son offre additionnelle sans diminution de l'offre initiale, de telle sorte que l'offre additionnelle du spéculateur sera une offre additionnelle nette, sans effet sur les prix au moment de l'achat réalisé par le spéculateur ou avec un effet à la hausse très limité. C'est évidemment le cas le plus favorable puisque l'offre totale se trouve accrue.

Si l'offre est parfaitement rigide, le spéculateur, en se procurant d'une façon ou d'une autre son offre additionnelle en Tl, a fait monter les prix mais, si son anticipation spéculative est exacte et son opération réussie, le prix sera encore plus élevé en T2 au moment où il vendra, satisfaisant ainsi une demande encore plus intense par rapport à l'offre qu'en Tl, de telle sorte que, dans ce cas aussi, son intervention est bénéfique, non pas par création d'une offre additionnelle globalement, mais par déplacement d'une offre de T1 en T2, transfert d'une offre moins utile en Tl en une offre plus utile en T2.

La spéculation n'a vraiment des effets pervers que lorsqu'elle s'accompagne d'une restriction de l'offre totale, c'est-à-dire d'accaparement. C'est le *"corner"* des spéculations boursières à terme qui, pour fâcheux qu'il soit, n'en demeure pas moins exceptionnel, car il nécessite la mise en œuvre d'une puissance financière énorme de la part d'un individu ou d'un groupe. Toutefois, en période de pénurie grave, il est difficile de distinguer le spéculateur de l'accapareur.

En période normale, la spéculation par accaparement est tout à fait exceptionnelle, de telle sorte qu'elle peut être comparée à ces « bavures » de la police. Malgré les abus possibles de la police comme de la spéculation, les effets courants de l'une comme de l'autre sont largement positifs. Ici aussi il convient, de réglementer et de contrôler les abus pour en réduire le nombre et l'ampleur – en matière boursière, c'est le rôle en France de la Commission des Opérations de Bourse (C.O.B.) et, aux Etats-Unis, de la *Securities Exchange Commission* (S.E.C.) pour les valeurs mobilières et la *Commodity Futures Trading Commission* (CFTC) pour les marchandises et les produits financiers – mais il ne faut surtout pas *« jeter le bébé avec l'eau du bain »*.

1.6.4. La panique spéculative

La spéculation peut prendre l'allure de ce que l'on appelle, en mathématique, un cas limite et se transformer en panique, que le processus cumulatif de la spéculation ne fait qu'empirer. Cette panique, lorsqu'elle se manifeste, s'exerce souvent à l'égard d'une monnaie ou d'une quasi monnaie : le mark, en 1923, les assignats sous la Révolution française.

La cause provient soit d'événements extérieurs très alarmants, soit d'une situation interne catastrophique, qu'il s'agisse d'une politique irresponsable de la part du gouvernement ou de la menace d'une explosion révolutionnaire.

Mais, là encore, contrairement à ce que les pouvoirs publics veulent faire croire, les vrais responsables de la panique spéculative ne sont pas les spéculateurs qui obéissent normalement à la loi du marché, mais les responsables des événements catastrophiques et, souvent, les pouvoirs publics eux-mêmes qui n'ont pas su y faire face.

Les spéculateurs ont raison de ne plus avoir confiance dans la monnaie d'un gouvernement qui joue trop mal le jeu économique[16], de même que, face à une situation révolutionnaire, ils ont raison de ne pas avoir confiance dans la monnaie d'un gouvernement menacé d'être remplacé par un pouvoir qui voudra, en changeant de système, jouer un autre jeu.[17] Et, ici encore, la marge de liberté d'un pouvoir révolutionnaire, du fait du marché mondial, est plus limitée qu'on ne croit, sauf à recourir à l'autarcie, ce que même les Russes, avec leur Etat de la taille d'un continent, ne font pas. La révolution portugaise des œillets en a été réduite à faire des emprunts massifs au Fonds Monétaire International. Les lendemains de la révolution ne sont pas forcément des lendemains qui chantent, mais toujours des lendemains qui comptent[18], sauf à sombrer dans l'anarchie, la misère et la dépendance.[19] Le « Mur d'Argent » doit plus à la logique implacable des lois économiques qu'aux complots des capitalistes, contrairement à ce qu'une imagerie d'Epinal voudrait souvent faire croire.

2 – Le rôle primordial de l'anticipation spéculative dans l'économie de marché actuelle

Ce que nous avons dit de l'anticipation spéculative sur le plan théorique montre assez son rôle de premier plan dans l'économie de marché moderne, notamment en ce qui concerne le problème du redéploiement économique.[20] Par ailleurs, l'évolution récente de l'économie de marché n'a fait qu'accroître et rendre plus nécessaire et plus évident le rôle de l'anticipation spéculative.

2.1. L'anticipation spéculative, fondement du redéploiement économique

Le problème essentiel du redéploiement économique de pays industrialisés est la reconversion de leurs activités déclinantes vers des marchés porteurs. Cette reconversion suppose d'abord la détermination des marchés porteurs à l'avenir, c'est-à-dire des marchés qui connaîtront à la fois une expansion de la demande et une offre limitée.

2.1.1. La prévision de l'expansion de la demande

Nous avons vu que c'était la satisfaction d'une demande additionnelle qui permettait la croissance de la valeur économique.

La cause essentielle de la crise structurelle actuelle de l'économie française et de la plupart des économies développées tient à une croissance moindre que prévue, voire à une diminution de la demande de produits industriels tels que textile, acier, armement naval, etc.

Il est essentiel de prévoir les demandes en expansion dans l'avenir car il est très difficile de créer une valeur économique croissante pour une entreprise ou un secteur à partir d'une demande déclinante : le temps que les marchandises soient produites, le marché se sera dérobé.

Il faut donc une demande en expansion de façon durable car l'amortissement d'une production nouvelle, ou simplement additionnelle, pour une firme suppose la commercialisation avec succès de cette production pendant un minimum de cinq années consécutives.

2.1.2. La prévision de l'offre

Il ne suffit pas pour que les prix montent ou se maintiennent, c'est-à-dire couvrent les frais de l'accroissement de l'offre, que la demande soit en expansion. Encore faut-il que l'offre ne croisse pas plus rapidement que la demande.

C'est ce qui s'est passé ces dernières années pour certains produits courants du textile et de la sidérurgie. La baisse des prix relatifs consécutive à l'accroissement plus que proportionnel à la demande de l'offre, n'a laissé rentable que les productions des pays neufs à bas salaires (Brésil, Mexique. Asie du sud-est, etc.)

Il faut donc également prévoir l'évolution de l'offre mondiale. Et l'expérience récente montre que les pays industrialisés ne sont pas compétitifs dans les industries de main-d'œuvre peu sophistiquées face à la concurrence montante du tiers monde.

Il faut donc que ces pays se spécialisent dans les produits où cette concurrence ne pourra guère se manifester, c'est-à-dire dans les secteurs à très haute qualification dans les produits très sophistiqués incluant quantitativement peu de main-d'œuvre mais beaucoup de matière grise, ou dans les productions nécessitant de très gros investissements, encore que les pays neufs deviennent souvent capables de réaliser seuls ou avec autrui de gros investissements. Il s'agira de l'électronique, de l'informatique, de la robotique, de l'aéronautique, de l'industrie spatiale et nucléaire, des produits de luxe, etc. Dans tous ces domaines, l'offre sera limitée à celle des pays industrialisés, les pays en voie de développement ayant du mal à les concurrencer avant un certain temps.

2.1.3. Les moyens de la prévision ou la prévision scientifique

La prévision de la demande et de l'offre a donc un rôle prépondérant dans le redéploiement économique.

Aussi, est-il normal que la prévision sous toutes ses formes, et d'abord la prévision scientifique, aient connu un grand essor au cours de ces dernières années.

L'approche macroéconomique, en partant du sommet, a engendré la planification, la démarche microéconomique en partant de la firme a donné naissance au marketing, l'une comme l'autre tendant à faire le pont entre la macro et la microéconomie, tentant de combler ainsi le *no bridge* des anglo-saxons.

La futurologie, la prospective, la programmation, les scénarios futuristes, les modèles économétriques, les études de marché connaissent une vogue considérable. Et, comme souvent la demande ne peut être suscitée et développée que par l'offre, les recherches de créativité et le *marketing mix* en général, avec sa panoplie publicitaire et promotionnelle, s'y emploient.

La prévision est ambitieuse et se veut scientifique, seul moyen de parvenir à la connaissance exacte. L'informatique lui apporte le concours de sa puissance de calcul et d'investigation en attendant le recours prochain aux banques de données.

2.1.4. Les aléas de la prévision ou la prévision spéculative

Et pourtant, régulièrement, les faits viennent démentir les prévisions les plus savantes, au point que le huitième plan français, devant l'échec du sixième et du septième, ne se risque plus à prévoir un taux de croissance du PIB.

Les prévisionnistes se défendent, non sans une certaine hypocrisie, en disant qu'ils font de la prévision et non de la *« prophétie »* et utilisent comme alibi leurs hypothèses de base et la clause *« toutes choses étant égales par ailleurs »*. Ils ne commettent pas d'erreur de prévision, mais la réalité a différé des hypothèses de base retenues. Le malheur est que les variables de nature à interférer sur la situation économique, objet de leur prévision, sont quasi infinies. D'autre part, ce qui importe aux décideurs qui vont intervenir dans l'activité économique, ce n'est pas la prévision mais bel et bien la prophétie : peu leur importe que l'erreur provienne de la non réalisation de l'une des hypothèses de base, ce qu'il leur faut, c'est que les faits soient conformes à ce qui avait été prévu, sinon leur décision relative à l'offre sera erronée.

Les aléas de la prévision paraissent irréductibles. N'en déplaise à Pierre-Louis Reynaud[21], bien malin le prévisionniste capable de prévoir l'évolution du prix relatif du pétrole au cours des deux prochaines années : la pénurie réelle ou artificielle qui semble se manifester aujourd'hui peut fort bien laisser place à une surabondance provoquée soit par les économies d'énergie soit par la récession économique, soit par de nouvelles découvertes, soit par le retour au calme politique des gros producteurs et, notamment, de l'Iran, soit par l'intervention accélérée des nouvelles sources d'énergie, etc., etc. Les variables susceptibles d'agir sur le prix du pétrole sont quasi infinies, donc impossibles à recenser et à prendre en compte, et leur résultante impossible à calculer avec certitude. Tout au plus, peut-on se livrer à ce que les anglo-saxons appellent des *guesstimates* et les Français des « risques calculés ».

On se retrouve face à l'anticipation spéculative, la prévision aussi scientifique et rigoureuse soit-elle ne parvenant qu'à réduire la marge d'incertitude, jamais à la faire disparaître.

2.2. Les causes de l'actualité de l'anticipation spéculative

Si l'anticipation spéculative joue un tel rôle aujourd'hui dans la création de la valeur économique, c'est la conséquence de l'évolution récente de notre économie de marché, tant du point de vue spatial que temporel, de telle sorte que l'équilibre concurrentiel des classiques n'est plus réalisé.

2.2.1. Transformation de l'espace économique

L'espace économique est aujourd'hui caractérisé par la concentration, l'industrialisation du tiers-monde et le mondialisme, tous facteurs qui ont accru le rôle de l'anticipation spéculative dans la création de la valeur.

2.2.1.1. La concentration économique

On parle couramment de concentration industrielle, c'est plutôt de concentration économique qu'il s'agit avec, dans le tertiaire, la constitution de chaîne de magasins à succursales multiples, de grandes banques et compagnies d'assurance, dont l'importance ne le cède en rien aux grandes sociétés industrielles.

Du fait que l'activité économique se trouve essentiellement entre les mains d'un nombre toujours plus restreint de très grandes sociétés, les décisions les plus importantes étant prises par les directeurs de celles-ci et les hauts fonctionnaires, voire le Gouvernement, les anticipations spéculatives se trouvent elles aussi très concentrées, comportant des enjeux et par le fait des risques considérables. C'est l'ère des managers ou de la technostructure. Même dans le domaine éminemment spéculatif et traditionnellement individualiste de la bourse, le poids des décisions appartient aux investisseurs institutionnels : banques, assurances, Caisse des Dépôts, etc.

Le caractère souvent multinational des grandes sociétés augmente leurs aptitudes spéculatives dans l'espace : il suffit qu'elles retardent ou accélèrent leurs paiements ou leur facturation, qu'elles se livrent à des mouvements de trésorerie interne à travers les frontières, pour bénéficier des variations dans le temps des taux de change, c'est-à-dire pour spéculer sur les monnaies.

2.2.1.2. L'industrialisation du tiers-monde

Le développement industriel accéléré de certains pays du tiers-monde, et notamment des pays producteurs de pétrole, du Brésil, du Mexique et des pays de l'Asie du Sud-Est (Corée du Sud, Taïwan, Hongkong, Singapour, etc.) remet en question des pans entiers de l'industrie traditionnelle des pays avancés, particulièrement dans le textile, la sidérurgie, et demain dans la mécanique, l'automobile et même l'électronique.

Il est impératif pour l'Occident d'anticiper l'augmentation de l'offre à bas prix en provenance de ces pays, de tenir compte de leur capacité concurrentielle et d'orienter ses productions dans des secteurs où ces pays nouvellement industrialisés ne puissent les suivre avant un certain temps, l'évolution économique se transformant en course-poursuite des moins industrialisés derrière les plus développés.

2.2.1.3. Le mondialisme

L'industrialisation de ces pays neufs et l'abaissement des barrières douanières dans le cadre du GATT ont donné à notre espace économique une dimension mondiale à laquelle même les pays de l'Est et la Chine participent. [22-12]

Par le fait, la spéculation économique spatiale et temporelle se trouve considérablement développée et, inversement, le domaine de la planification étatique restreint, qui ne peut valablement s'exercer que dans le cadre d'une nation, aussi longtemps que la coopération internationale demeurera limitée. Seul un Etat mondial pourrait planifier à l'échelle de la planète ; il ne paraît pas en passe de s'instaurer.

Dans la mesure où le commerce international se développe et où la part du commerce national diminue, le pouvoir du planificateur décroît et celui du spéculateur augmente. C'est sans doute en grande partie la cause de l'échec des deux derniers plans français, le sixième et le septième. C'est aussi une des raisons du succès des multinationales. Jean Peyrelevade, dans son intéressant ouvrage sur *L'économie de spéculation*, a fort bien mis en lumière ce que le développement des échanges internationaux apportait à la spéculation et enlevait à la planification et au socialisme, indissociables du cadre national.[23-24]

Ceci explique les réflexes protectionnistes et dirigistes et les convergences que l'on voit parfois se manifester en France entre Gaullistes et socialistes, voire communistes, qui apparaissent comme autant de regrets d'un autre âge, incapables de résister au vent de l'histoire devenue universelle. D'ailleurs, la théorie des coûts comparatifs des échanges internationaux[25], en démontrant les avantages que les deux nations retirent de l'échange, révèle le caractère malthusien de la plupart des réflexes protectionnistes.

2.2.2. Transformation du temps économique

Notre temps économique est caractérisé par une accélération du progrès technique, une saturation de la consommation, porteuse de crise et de transformation, une grande turbulence de l'environnement.[23]

2.2.2.1. L'accélération du progrès économique et technique

Après la Seconde Guerre mondiale, l'économie de la plupart des pays industrialises, et notamment des pays européens et du Japon, a cru, selon des taux très élevés de l'ordre de 5 à 6 % l'an en moyenne. Il est vrai que, depuis 1974, ce rythme tend à se ralentir sous l'effet de divers facteurs dont la hausse du prix du pétrole constitue sans doute l'un des principaux. Certains « anti-économistes » ont d'ailleurs écrit beaucoup de bêtises sur l'avènement de la croissance zéro, considérée comme un bienfait. Il convient de remarquer toutefois que le ralentissement de l'économie se limite aux pays industrialises de l'Ouest et de l'Est mais que d'autres pays en voie de développement connaissent depuis peu des croissances économiques records. C'est le cas des pays producteurs de pétrole, mais aussi celui du Mexique, du Brésil et des pays de l'Asie du sud-est (Corée du Sud, Taïwan, Hongkong, Singapour, Philippines, etc.) qui progressent à toute vapeur. Il s'agit donc plutôt d'une nouvelle répartition géographique de la croissance économique que du ralentissement de celle-ci.

Voici ce que Gaston Berger écrit au sujet de cette accélération : « *Si l'accélération est devenue un fait d'expérience, elle n'est pas encore le plus souvent un objet de pensée. Nous la subissons sans y croire. Le monde que nous sentons et dans lequel nous vivons ne correspond plus en effet au monde de nos opinions et de nos habitudes. Le devenir est en avance sur nos idées. Bien des gens croient ou affectent de croire qu'il s'agit d'une « crise », c'est-à-dire d'un phénomène temporaire et, en somme, anormal et qu'il suffit d'attendre avec patience que revienne la stabilité. Cet optimisme n'est que de l'aveuglement. Il ne s'agit, pour l'humanité, ni de traverser une crise, ni même, à l'opposé, de s'installer dans la crise. Il s'agit de renoncer à un idéal de tranquillité et de reconnaître que l'accélération est la loi normale des transformations dans le domaine des choses humaines. Mais cette conversion heurte trop d'habitudes et de préjugés pour être facilement opérée.* » [26]

Et Pierre Schœnlaub écrit, à propos de la politique des entreprises : « *Le passage du plan de développement à la stratégie s'explique par au moins deux raisons majeures. La première concerne l'accélération de l'évolution de l'environnement de l'entreprise, de la transformation des marchés qui oblige les entreprises à anticiper le changement et à être prêtes à saisir toutes les opportunités nouvelles qui se présentent à elles. La seconde a trait aux conditions de la production et du fonctionnement des entreprises : raccourcissement du cycle de vie des produits obligeant l'entreprise à pratiquer une politique systématique d'innovation, alourdissement des équipements dont la rentabilité n'est assurée qu'à des niveaux élevés de production.* » [27]

L'accélération du progrès technique depuis quelques décades a considérablement diminué la durée de vie des produits. On a calculé aux Etats-Unis que 20 % des produits vendus en 1969 n'existaient pas en 1960 et la proportion s'est vraisemblablement accrue encore ces dernières années.

Les entreprises doivent sans cesse lancer de nouveaux produits au risque de voir le marché se dérober sous elles. Elles sont incitées à l'innovation car celle-ci leur assure des situations de quasi-monopole temporaire génératrices d'importants superprofits qui constituent le ressort essentiel du progrès économique et technique. Cette recherche constante des nouveaux produits suppose une continuelle anticipation spéculative.

2.2.2.2. La saturation des besoins et les nouvelles perspectives

L'économie de marché s'est fort heureusement orientée vers la satisfaction des besoins des ménages et la consommation, plutôt que vers l'économie de puissance. L'équipement ménager, notamment, a été, depuis le dernier conflit mondial, le champ principal du développement économique. Mais aujourd'hui, dans les pays développés, la plupart des ménages sont équipés, voire suréquipés, d'automobiles, d'électroménager et de télévisions.[28]

Un ralentissement économique se manifeste et un certain dégoût et mépris à l'égard de la société de consommation. Il en résulte ce que certains ont appelé une crise de civilisation. Certes, le relais semble assuré avec l'informatique et ses développements futurs, la civilisation informaticienne étant sur le point de remplacer la civilisation mécanique. Il n'empêche que l'on se trouve à un tournant, qu'il faut que les entreprises se diversifient, cherchent de bons créneaux, lancent de nouveaux produits, ce qui représente un effort d'anticipation et un risque spéculatif considérables.

2.2.2.3. La turbulence de l'environnement

L'accélération du progrès technique, l'émergence économique du tiers-monde et le redéploiement des pays industrialisés se conjuguent avec la pénurie de certaines matières premières, les désordres financiers mondiaux et la crise monétaire internationale, pour engendrer une très grande turbulence de l'environnement économique.

Une série de causes internes, telles que le renforcement du pouvoir des syndicats et de tous les corporatismes transformant l'économie en une société de revendication, et externes, dont principalement la politique de déficit commercial et d'investissements extérieurs des Etats-Unis et la multiplication des pétrodollars, provoquent un climat d'inflation endémique auquel le système monétaire international de fixité des monnaies, mis en place à Bretton Woods, n'a pas résisté. Le dollar est dévalué à plusieurs reprises et rendu inconvertible en 1971. Il devient désormais flottant.

Aujourd'hui, la pénurie réelle ou artificielle du pétrole est l'une des causes principales du désordre économique, par le biais de la hausse continuelle et accélérée de cette matière première depuis 1973. Les effets perturbateurs les plus graves de cette hausse concernent moins son incidence sur la hausse générale des prix, c'est-à-dire son effet inflationniste, que son effet déflationniste à l'égard de l'économie mondiale et sa contribution à l'accroissement des désordres financiers internationaux.

En effet, on estime que les sommes consécutives à l'augmentation du prix du pétrole, encaissées par les pays producteurs, ne reviennent sur le marché des produits sous forme de l'achat de biens divers que dans une proportion de l'ordre de 20 %. Une autre proportion, encore plus faible, est investie à long terme. Tout le reste constitue un *gap* déflationniste pour l'économie mondiale.

La contre-valeur de ce reste représente les pétrodollars qui vont gonfler le stock de capitaux errants (*hot money*) placés à court terme sur les différentes places mondiales.

Ces pétrodollars se joignent aux eurodollars et la masse des capitaux errants qu'ils constituent atteignaient déjà en 1978, selon Jean Peyrelevade : *« 300 milliards de dollars, c'est-à-dire un chiffre nettement supérieur à la masse monétaire interne de la plupart des pays industrialises. »* [12]

On comprend que les banques centrales de ceux-ci aient du mal à défendre leur monnaie.

Il en résulte que la plupart des monnaies fluctuent et le dollar, monnaie internationale, le premier. Lorsque les instruments de mesure et les réserves de valeurs que constituent les monnaies ne demeurent pas constantes dans le temps, ni même fixes entre elles, l'anticipation spéculative nécessaire à toute activité économique internationale se trouve d'autant plus nécessaire et d'autant plus difficile : une dimension nouvelle (et quelle dimension !), la dimension monétaire, s'ajoute aux incertitudes et devient à son tour objet de l'anticipation spéculative.

Enfin, les évènements politiques, tels la guerre du Kippour, la Révolution iranienne, l'invasion du Cambodge par le Vietnam et de l'Afghanistan par les Russes, viennent aggraver la turbulence de l'environnement économique et son imprévisibilité.

Pierre Schœnlaub écrit à ce propos : « *L'ouverture des frontières, le développement des échanges internationaux, l'accroissement de la concurrence, sans oublier la hausse du prix du pétrole et des matières premières, ont contraint les entreprises à surveiller toujours plus attentivement leurs marchés et à anticiper les besoins chaque jour plus diversifiés de leur clientèle.* » [27]

D'une façon générale, les turbulences effrénées de l'environnement économique augmentent le domaine, l'enjeu, le rôle et la difficulté de l'anticipation spéculative. Jointes aux transformations de l'espace et du temps économiques que nous avons passées en revue, elles donnent aujourd'hui un caractère hyper spéculatif à la création de la valeur économique.

2.2.3. La rupture de l'équilibre concurrentiel classique

Ces transformations de l'espace et du temps économiques ont rompu l'équilibre de la concurrence parfaite des classiques. Elles empêchent que la concurrence ne ramène les prix de vente au niveau des coûts. Elles laissent subsister de nombreux superprofits et rentes, qu'il s'agisse de ceux des producteurs à faible coût de main d'œuvre du tiers-monde ou de ceux engendrés par les nouveaux produits sophistiqués des pays industrialisés. Le phénomène n'est pas nouveau puisqu'il a été depuis longtemps dénoncé par Joan Robinson [29]. Il tend toutefois à s'accroître de façon considérable.

En éloignant les prix des coûts, lesquels pour Marx ne représentent que la rémunération directe ou indirecte du travail, il contribue à enlever tout fondement à la valeur travail des classiques et des marxistes.

Ces rentes et ces superprofits sont loin de n'avoir que des effets négatifs, dans la mesure où ils orientent l'offre vers les coûts les plus bas et vers la demande la plus pressante. Ils constituent ainsi le moteur même du progrès économique.

Cela ne veut pas dire que la concurrence, étant la plupart du temps imparfaite, soit inutile pour autant. Les critiques de l'économie néolibérale font à cet égard une grave erreur en voulant abolir la concurrence sous prétexte qu'elle n'est pas parfaite. C'est un peu l'attitude d'un médecin qui achèverait son malade sous prétexte qu'il ne parvient pas à le remettre en complète santé.

La concurrence même imparfaite est infiniment précieuse et irremplaçable. Elle continue de jouer sous forme de tendance, comme un ressort qui s'efforce toujours de ramener les prix vers les coûts. Ce faisant, elle permet la diffusion du progrès économique, tant sous l'aspect de la réduction des coûts que de l'accroissement de l'offre face aux demandes excédentaires. Si elle n'existait pas, il faudrait l'inventer, et c'est bien ce qu'ont cherché à faire certains économistes en planifiant la concurrence pour la rendre plus parfaite que dans la réalité[30] ou en adoptant des systèmes de tarification correspondant au résultat de son libre jeu.[31] Même les économies collectivistes se sont efforcées de conserver ou de reconstituer certains de ses mécanismes et de ses effets jugés bénéfiques.[32]

On est amené dès lors à se demander si ce rôle fondamental de l'anticipation spéculative est limité à notre économie de marché contemporaine ou si, d'application plus large, il se retrouve dans les autres types d'économie.

3 – Le rôle fondamental de l'anticipation spéculative dans toute économie progressive

A la limite on pourrait concevoir l'inutilité de l'anticipation spéculative dans une économie statique, mais dès que l'économie devient progressive, l'anticipation spéculative y joue un rôle fondamental, qu'il s'agisse de l'économie de marché traditionnelle ou même d'une économie de type collectiviste.

3.1. L'anticipation spéculative dans une économie en stagnation

Une économie en état de stagnation complète n'a pas besoin en théorie d'anticipation spéculative de la part de ses agents. Il suffit que ceux-ci reproduisent le passé pour que l'activité économique se maintienne toujours au même niveau. On pourrait présenter la situation d'une autre façon et dire que l'anticipation spéculative existe mais avec une dérivée nulle. Il semble s'agir d'un cas limite. Ce n'est pourtant pas seulement une hypothèse d'école. Les économies primitives ou même l'économie médiévale sont dans des situations voisines, à certaines époques tout au moins, de la complète stagnation. Nous ne voulons pas dire par là que les économies sont stables, bien au contraire elles sont fragiles et subissent des perturbations, dues notamment à des phénomènes naturels : famines, épidémies consécutives notamment à des conditions atmosphériques défavorables. Il y a aussi les catastrophes du fait de l'homme, telles les guerres, le pillage, etc., mais tous ces évènements ont essentiellement un caractère aléatoire, donc imprévisible, ne laissant place à aucune anticipation spéculative, sauf à bénéficier d'une confidence de la divinité révélatrice de l'avenir, tel le songe de Joseph relatif aux sept années de famine qui permit à cet intendant du Pharaon de remplir à temps les greniers. L'anticipation spéculative, quand elle existe, relève de la magie et de la divination.

Mais l'économie ne progresse pas, n'évolue pas. Elle subit. Ceci explique sans doute dans une grande mesure la crainte que les anciens avaient du « Destin ».

Ces économies stagnantes sont des économies fermées de subsistance ou domaniales et la source de richesse est essentiellement la terre. Leur philosophie ou leur religion enseigne une attitude de résignation face au destin ou de respect à l'égard du sacré qui les dépasse, et notamment de l'Eglise. La société n'est pas encore sécularisée et l'activité économique, comme toutes les activités temporelles, est soumise au spirituel. La civilisation n'est pas encore « faustienne ». Prométhée est encore enchaîné.

3.2. L'anticipation spéculative dans l'économie progressive traditionnelle

Nous entendons par économie progressive traditionnelle celle qu'a connu l'occident du XVᵉ au XIXᵉ siècle, en gros des grandes découvertes et de la Renaissance à la Révolution industrielle. Cette économie est progressive, mais conserve beaucoup de traits d'archaïsme qui freinent son évolution.

Ces traits d'archaïsme sont l'ouverture limitée de l'économie par le cloisonnement des marchés et le protectionnisme, l'atomicité des agents économiques, la non saturation des besoins, la lente progressivité de l'économie, la relative stabilité de l'environnement.

Dès que l'économie se met à progresser, l'anticipation spéculative devient indispensable, mais les traits d'archaïsme de l'économie traditionnelle limitent son rôle et son importance.

3.2.1. L'ouverture partielle de l'économie

Il semble bien que la progression de l'économie coïncide avec son ouverture. Dès que Venise puis Gênes développèrent le commerce avec l'Orient dans la Méditerranée, dès que les villes de la Hanse et les foires multiplièrent les échanges dans l'Europe du Nord, le progrès économique, grâce à l'accumulation des richesses créées par le commerce et distribuées par la banque, s'amorça au XIIIe siècle. Et l'anticipation spéculative y joua un rôle de premier plan, notamment avec le prêt à la grande aventure pratiqué dans les ports italiens, sans parler des spéculations bancaires et ensuite des expéditions vers le nouveau monde à la suite des « Grandes Découvertes ».[33]

Les échanges internationaux ne vont pas cesser de se développer depuis lors, mais ils ne concernent que certaines économies évoluées : les villes italiennes et hanséatiques, l'Espagne et le Portugal, puis la Hollande, l'Angleterre, enfin le reste de l'Europe, les Etats-Unis et le Japon. En outre, ces échanges sont freinés, sauf en Angleterre, par la protection douanière et les contingentements, de telle sorte que les échanges internationaux par rapport au commerce intra-national ne jouent qu'un rôle marginal.

Il faudra attendre le XXe siècle et même le lendemain du deuxième conflit mondial pour assister au développement d'un véritable marché à l'échelle de la planète, avec les accords tarifaires du GATT.

Jusqu'à cette période récente, les freins aux échanges internationaux ralentissent l'évolution économique et limitent le rôle et les enjeux de l'anticipation spéculative. Dans la mesure où les marchés locaux dominent, ils sont morcelés et faciles à connaître et, dans la mesure où ils progressent lentement, aisés à anticiper. Le critère de la réussite des entreprises, c'est la bonne réputation locale, voire régionale, plus que la prévision des marchés et la spéculation.

3.2.2. L'atomicité des agents économiques

Le schéma classique de la concurrence parfaite suppose l'atomicité des agents économiques, producteurs comme consommateurs.

Et jusqu'à l'aube du XXe siècle, la majorité de la population active est faite d'exploitants agricoles et d'entrepreneurs individuels, artisans, petits commerçants et petits industriels, libres d'organiser leur production à leur façon. Ceci signifie qu'ils se livrent tous à de multiples anticipations spéculatives à faible enjeu. Ils participent ainsi tous au risque de leur production dans la limite de leur responsabilité économique qui est entière et leur gain ne dépend que du succès de leur anticipation et de leurs recettes sur le marché, correspondant à la valeur économique réelle qu'ils ont créée.

Le passage au salariat qui englobe aujourd'hui en France plus de 80 % de la population active n'est autre que l'abandon de ce risque spéculatif de l'entrepreneur individuel en échange de la sécurité du salarié payé quelque soit les résultats financiers de l'entreprise, le risque essentiel étant dès lors assumé par l'actionnaire ou le chef d'entreprise.

C'est ici, à notre avis, que se trouve la cause réelle de l'aliénation du salariat et non dans une mythique plus-value du travail qui serait confisquée par le détenteur du capital, puisque nous avons vu que le travail par lui-même et sans l'anticipation spéculative exacte était incapable de créer la moindre valeur économique.

L'aliénation du salarié, du fait de sa renonciation à l'anticipation spéculative propre à l'entrepreneur individuel, est double : elle concerne la décision et le gain. Le salarié n'est plus libre de prendre les décisions constitutives de l'anticipation spéculative relative au produit à vendre, à son mode de fabrication, à sa commercialisation, à son prix, etc. Il est aux ordres du chef d'entreprise qui centralise avec son équipe dirigeante toutes ces décisions. Son gain, le salaire, s'analyse comme une assurance de sécurité qui lui sera versée par l'entreprise, même si son travail ne produit pas de valeur, ce qui arrive chaque fois que la production ne trouve pas d'acheteur et doit être vendue à un prix ne dépassant pas son coût. La rémunération étant assurée, elle ne peut être que limitée, l'éventualité du gain appartenant à ceux qui prennent le risque de l'anticipation spéculative, c'est-à-dire au chef d'entreprise ou à ses mandants qui sont les actionnaires.

D'une façon générale, la sécurité est aliénante, le bon Lafontaine l'avait déjà dit dans la fable du Chien et du Loup.

Historiquement, il en a d'ailleurs bien été ainsi. Les premiers ouvriers salariés ont été d'anciens artisans drapiers qui se sont adressés à un marchand pour trouver des débouches, se sont endettés à son égard et lui ont abandonné en gage le métier. Ils ont troqué le risque de l'anticipation spéculative et leur liberté d'artisan contre la sécurité d'un salaire assuré et leur dépendance d'ouvrier. C'est ainsi que sont nées les manufactures textiles, premières unités de production du capitalisme industriel. Mais il y a une logique implacable en tout cela : de même qu'on ne peut avoir le beurre et l'argent du beurre, on ne peut avoir la sécurité du salaire et, en outre, l'indépendance et les gros gains éventuels que seul le risque assumé peut procurer sous forme de profit.

De même qu'inversement l'entrepreneur qui parviendrait à s'assurer de gros gains sans prendre le risque de l'anticipation spéculative, par exemple grâce à des faveurs obtenues de la puissance publique (cas des promoteurs assurés par leurs relations d'obtenir le classement des terrains agricoles en zones urbaines, par exemple), cesserait de créer de la valeur économique et de répondre à sa vocation d'assumeur de risque. Comme l'écrivait très justement Raymond Barre [6] et François Perroux[8], « *le profit est un résidu incertain et illimité, en gain comme en pertes d'ailleurs.* »

La seule façon de briser l'aliénation salariale, c'est de faire participer les salariés à l'anticipation spéculative en tant que co-gestionnaires et co-actionnaires de l'entreprise. Les autres solutions ne sont que de fallacieuses utopies. Les Américains et les Allemands l'ont bien compris, qui ont développé autant qu'ils ont pu et sous toutes ses formes l'actionnariat populaire.

Dans les économies où la population active est essentiellement constituée d'entrepreneurs individuels, le chômage n'existe pas mais seulement des entrepreneurs qui gagnent de l'argent grâce à de bonnes anticipations spéculatives et d'autres qui en perdent du fait de mauvaises anticipations spéculatives.

Cette participation à la décision et au risque n'est pas seulement utile sur le plan économique, elle est indispensable sur le plan humain. Le tiercé ou le Loto pour le salariat sont l'ersatz du risque nécessaire à l'épanouissement humain que l'artisan, l'exploitant ou l'entrepreneur individuel d'autrefois trouvaient d'une façon naturelle et infiniment plus enrichissante dans l'exercice de son activité professionnelle. Le tiercé est au risque économique ce que l'« Eros center » est à l'amour.

Pour schématiser l'évolution de l'économie progressive quant à la source des revenus, on peut dire qu'elle a connu trois phases chronologiques qui se sont un peu télescopées :

1) une première étape, que l'on peut situer du XVe au XIXe siècle, où les revenus de la classe bourgeoise, qui est la classe dynamique[34] proviennent essentiellement de la création de valeur par l'anticipation spéculative artisanale, commerciale, financière ou industrielle ;

2) une deuxième étape, au XIXe et au XXe siècle, avec le développement de l'industrie et du salariat où le revenu (salaire) provient du travail, même si celui-ci ne crée pas de valeur économique ;

3) dans une troisième phase, au XXe siècle, avec l'organisation syndicale et les réformes sociales (le *Welfare state* des anglo-saxons), le revenu provient de plus en plus des transferts et est fixé en fonction des pressions sociales et des besoins, de façon tout à fait indépendante – et presque antinomique – de la création de la valeur économique : c'est l'économie d'assistance et de revendication d'aujourd'hui.

Dans l'économie traditionnelle, l'anticipation spéculative est atomisée comme le sont les agents économiques, aussi bien en ce qui concerne les producteurs que les investisseurs et les consommateurs, et l'enjeu de chacune de ces anticipations multiples se trouve limité.

3.2.3. La non-saturation des besoins

Dans cette économie, la non-saturation des besoins facilite l'anticipation du marché. La hausse progressive du niveau de vie des masses, avec le développement du crédit à la consommation, permet à celles-ci d'accéder aux équipements électroménagers, à l'automobile, voire de devenir propriétaires de leur logement.

Cette évolution fait dire à Ford qu'il a intérêt à payer de hauts salaires à ses ouvriers pour que ceux-ci puissent devenir ses clients.

Aussi longtemps qu'il s'agit pour certaines catégories sociales ou pour certains pays d'en rattraper d'autres quant au niveau de consommation, les anticipations de la croissance de la demande, essentiellement quantitative, sont relativement faciles à effectuer : les exemples des précurseurs sont là pour tracer le chemin.

3.2.4. La lente progressivité de l'économie

L'économie progresse de façon presque continuelle du XVIe au XXe siècle mais à un rythme relativement lent. Même au XIXe siècle, pendant la révolution industrielle, les taux de croissance moyens annuels du PNB des pays occidentaux dépassent rarement 2 % l'an. Ce n'est qu'au XXe siècle que l'on voit l'URSS et le Japon atteindre des taux très supérieurs, mais ils ont un gros retard à rattraper. Et l'Europe ne connaît des taux de croissance de 5 à 6 % l'an qu'après le dernier conflit mondial.

Cette évolution plus lente est plus facile à anticiper et le caractère spéculatif de l'anticipation s'en trouve diminué. Le critère de réussite d'une entreprise était alors moins la croissance de son chiffre d'affaires et de ses bénéfices que son ancienneté dont sa publicité faisait d'ailleurs état comme de la preuve du sérieux de l'affaire et de la qualité de ses produits.

3.2.5. La relative stabilité de l'environnement

L'environnement de l'économie, bien qu'en constante évolution, est relativement stable. L'épargne est possible et joue un grand rôle car la valeur des monnaies demeure pratiquement constante, sauf lors de courtes périodes et comme conséquence de phénomènes bien particuliers, comme l'afflux au XVIe siècle de l'or et de l'argent en provenance du nouveau monde. C'est l'âge d'or des rentiers. L'étalon or permet aux changes d'être fixes et stables.

Du fait de cette stabilité générale et monétaire en particulier l'anticipation est facilitée et son caractère spéculatif atténué.

Pour nous résumer, on peut dire que l'anticipation spéculative à un rôle fondamental dans toute économie de marché progressive, mais que ce rôle est atténué dans l'économie de marché traditionnelle du fait de plusieurs facteurs tendant à la stabilité de cette économie, alors que les facteurs inverses de l'économie actuelle, en rendant celle-ci particulièrement instable, confèrent à l'anticipation spéculative un rôle de premier plan. C'est à juste raison que Jean Peyrelevade qualifie notre économie d'« *économie de spéculation* »[12]. Il reste à savoir si ce rôle de l'anticipation spéculative dans la création de la valeur se limite à l'économie capitaliste ou s'il s'étend à l'économie collectiviste planifiée et, par le fait, à toute économie progressive.

3.3. L'anticipation spéculative dans l'économie collectiviste planifiée

Bien qu'en principe l'absence de marché dans une économie planifiée de façon autoritaire ne laisse guère place à l'anticipation spéculative, en réalité l'économie de type soviétique ne parvient pas à éliminer une certaine forme embryonnaire et marginale de marché qui laisse place à l'anticipation spéculative. D'ailleurs, l'économie étatisée existe aussi dans certains secteurs des économies occidentales et dans ceux-ci, comme dans la planification soviétique, on assiste à une anticipation spéculative collective de la part des agents de l'Etat, ce qui correspond au cas pervers de la spéculation sans risque que nous avons examiné. Aussi le système des économies de type libéral, où l'anticipation spéculative est décentralisée, nous paraît-il préférable sur le plan de la technique économique au système collectiviste avec planification autoritaire centralisée.

3.3.1. L'abolition de principe du marché dans l'économie collectiviste planifiée

Le plan autoritaire qui décide de la consommation et des revenus, comme des prix et de la production, fait disparaître le marché libre et partant devrait supprimer toute possibilité d'anticipation spéculative.

Dans la réalité, les choses sont quelque peu différentes car même les économies les plus autoritairement collectivistes peuvent difficilement abolir pendant longtemps toute notion de marché.

3.3.2. La persistance d'une certaine notion de marché dans l'économie collectiviste planifiée

Il semble que la progression d'une économie collectiviste planifiée implique le retour à une certaine notion de marché, tant sur le plan intérieur qu'extérieur.

3.3.2.1. Une certaine notion de marché interne

Tant que l'économie soviétique en était à s'équiper et à développer son industrie de base, la planification était relativement aisée et la notion de marché inexistante. Mais, avec le développement de la consommation, la planification se doit d'anticiper la demande des consommateurs dont elle n'est pas entièrement maître malgré son contrôle total de l'économie : les consommateurs soviétiques demeurent libres d'accepter ou de refuser les produits qu'on leur propose. Nombreux semblent être les produits qu'ils dédaignent comme inadaptés à leurs besoins, tels que, par exemple, les lunettes fabriquées en série, de façon uniforme, de mauvaise qualité, comme le signalait récemment un journal soviétique. Avec l'augmentation du niveau de vie et une certaine ouverture des frontières, les consommateurs russes deviennent de plus en plus exigeants. Le marché n'est pas en Russie le résultat d'un suffrage des consommateurs qui arbitrent par leur demande entre les différents produits, marques et modèles qui leur sont offerts, en faisant monter les prix des objets les plus demandés; néanmoins, le marché en Russie soviétique, s'il n'a pas le caractère d'un vote, a celui d'un plébiscite ou d'un référendum, la demande venant sanctionner l'offre de façon positive par sa présence ou de façon négative par son absence. Le Gosplan se doit d'anticiper cette demande et aura de plus en plus de mal à y parvenir, au fur et à mesure qu'avec le niveau de vie croissant, elle se développera et se différenciera. Le développement croissant de « marchés parallèles » au marché officiel en est une illustration.

3.3.2.2. Une certaine existence du marché externe

Tant que l'économie soviétique était totalement fermée, le plan pouvait déterminer tous ses mécanismes, mais plus elle s'ouvre sur le marché mondial, plus celle-ci introduit dans l'économie soviétique des éléments de marché de type libéral qu'il convient de prendre en compte et d'anticiper. Et il semble que les responsables de l'économie soviétique aient pris conscience que cette ouverture était bénéfique pour son développement, de telle sorte qu'il faut s'attendre au rôle croissant du marché mondial dans l'économie soviétique, sauf accident, vraisemblablement d'ordre politique, entraînant un retour à l'autarcie volontaire ou forcée.

3.3.3. Le marché dans le secteur étatique de l'économie capitaliste

Il semble donc que, dans la mesure où l'économie collectiviste est progressive, elle ne puisse échapper à la nécessité de l'anticipation spéculative de la demande interne et externe et de l'offre externe, si l'on admet que l'offre interne est parfaitement planifiée.

Mais cette situation se retrouve dans les secteurs étatisés de l'économie capitaliste.

C'est ainsi que, dans l'armée, nombreux sont les exemples de produits, allant de la boîte de « singe » au masque à gaz, refusés par les soldats qui constituent, comme les consommateurs soviétiques, un marché-référendum.

Si les pouvoirs publics ont fait en France une anticipation exacte en ce qui concerne les besoins en énergie électronucléaire, ils en ont fait de fausses et très coûteuses pour les abattoirs de la Villette comme pour Concorde.

3.3.4. L'anticipation spéculative centralisée

Le trait commun qui caractérise l'économie collectiviste planifiée et le secteur étatisé de l'économie capitaliste, c'est que l'anticipation spéculative y est, dans l'une comme dans l'autre, centralisée alors qu'elle est décentralisée dans l'économie de marché.

Et, comme l'a fort bien mis en lumière l'analyse économique du *Public Choice*[15], on se trouve dans les deux cas devant des anticipations spéculatives faites par des fonctionnaires ou administrateurs non propriétaires de leur entreprise, c'est-à-dire dans l'une des hypothèses de spéculation sans risque dont nous avons dit précédemment tous les dangers qu'elle recèle et pourquoi elle devait être proscrite.

En effet, si Boussac a payé de son empire et les dirigeants de la sidérurgie de leur poste présidentiel, en 1978, les mauvaises anticipations qu'ils avaient effectuées dans leurs domaines respectifs, il semble bien qu'aucun responsable des abattoirs de la Villette ou de Concorde n'ait jamais encouru la moindre sanction. Bien plus l'erreur d'anticipation spéculative monumentale relative au supersonique franco-anglais, dont de Gaulle est l'un des principaux responsables, n'a jamais tant soit peu gêné la carrière politique ni terni la mémoire du « Grand Homme ».

3.3.5. Les avantage de l'anticipation spéculative décentralisée

La décentralisation de l'anticipation spéculative nous paraît comporter des avantages économiques inégalables qui tiennent au mécanisme même de l'anticipation, à la spécialisation nécessaire à la compétence, à la responsabilité du décideur liée à son risque, à la limitation des risques pour la collectivité et enfin à la souplesse d'adaptation aujourd'hui plus que jamais nécessaire à notre économie.

3.3.5.1. Le mécanisme de l'anticipation spéculative

L'anticipation spéculative comporte quatre phases : celle du rassemblement de l'information, celle de la recherche et de l'étude, celle de la synthèse et celle de la prise de décision.

Si les deux premières phases peuvent être collectives, et même si elles gagnent à être collectives, en permettant de faire intervenir les spécialistes les plus compétents des domaines concernés, il paraît plus difficile que les deux dernières phases, celle de la synthèse et de la prise de décision, soient autres qu'individuelles, encore que l'économie japonaise semble se trouver assez bien de son système de décision collective, du « ruigi ».

Quoiqu'il en soit, le mécanisme de l'anticipation spéculative essentiellement individuel implique la décentralisation, ne serait-ce que pour éviter la dictature économique et les enjeux excessifs des anticipations.

Mais décentralisation ne signifie pas anarchie. L'essentiel de la coordination étant assuré par les techniques du marketing et par le mécanisme du marché et des prix, et, à plus long terme, par la prévision, la prospective et la planification souple.

3.3.5.2. La spécialisation nécessaire à la compétence

Seule la décentralisation de l'anticipation nous paraît de nature à permettre l'intervention des compétences libérées de toute domination autoritaire ou hiérarchique. L'activité économique multiple, complexe et foisonnante de nos sociétés développées, implique la spécialisation et l'apparition de nouvelles professions. Pour que les compétences puissent s'affirmer et s'épanouir librement, il faut qu'elles soient soumises au moins de contraintes possibles autres qu'économiques et qu'on leur laisse récolter les fruits de la valeur qu'elles créent. Sinon les compétences émigreront (phénomène du *brain-drain* anglais) où s'orienteront de façon différente, voire s'atrophieront.

3.3.5.3. La responsabilité du décideur

Ce qui nous paraît essentiel et ressort clairement de notre analyse théorique précédente de l'anticipation spéculative, c'est que l'auteur de l'anticipation que l'on peut appeler, au choix, « décideur » ou « spéculateur », supporte personnellement, sur son patrimoine ou ses revenus, le risque de son anticipation, afin d'éviter les perversions inhérentes à la spéculation sans risque.

Cette responsabilité personnelle sur le plan matériel du « spéculateur » implique la décentralisation de l'anticipation. Le système capitaliste satisfait à cet impératif de la responsabilité personnelle sur le plan matériel, puisque celle-ci constitue l'un des éléments essentiels de ce système, fondé sur la propriété individuelle des moyens de production.

Si l'on veut passer du capitalisme à la cogestion et à l'autogestion, il faudra trouver le moyen d'étendre la responsabilité matérielle des « décideurs » aux cogestionnaires et aux autogestionnaires. A notre connaissance, seuls le capitalisme populaire et la participation aux bénéfices et aux pertes, voire les coopératives ouvrières de production, seraient à même de réaliser cette extension de la responsabilité de façon satisfaisante sur le plan économique.

3.3.5.4. La limitation des risques pour la collectivité

La conséquence de la mise en jeu de la responsabilité du décideur est la possibilité de limiter les risques au patrimoine de celui-ci ou, au moins, si l'entreprise du décideur est en péril, à cette entreprise et à son personnel. Si les pouvoirs publics ne viennent pas en aide au décideur et à son entreprise, les pertes ne sont pas étendues à la collectivité mais demeurent circonscrites aux affaires du responsable de la mauvaise anticipation. Si les pouvoirs publics viennent en aide à celui-ci et à son personnel, la collectivisation des pertes sera limitée à l'aide accordée.

Inversement, si l'anticipation spéculative est centralisée ou le fait d'un organisme d'état, les pertes sont collectivisées ipso facto et souvent même indéterminées dans la mesure où beaucoup d'entreprises d'Etat sont de façon endémique en déficit et subventionnées par le budget de la nation.

C'est ainsi que les pertes consécutives aux mauvaises anticipations des dirigeants de Citroën, n'ont pas été collectivisées puisque Peugeot est parvenu à remettre Citroën en équilibre et à rembourser de façon anticipée le prêt d'un milliard qui lui avait été accordé par le Fonds de Développement Economique et Social. Par contre, les pertes de Berliet sont collectivisées dans la mesure où Renault

Véhicules Industriel demeure déficitaire et où la Régie Nationale reçoit, de la part de l'Etat, des dotations en capital.

Ne serait-ce que pour la transparence comptable de l'économie, indispensable à la manifestation de la rentabilité des activités économiques, il est nécessaire que l'anticipation spéculative soit décentralisée.

La collectivisation des pertes en économie collectiviste planifiée est encore plus néfaste, car le marché n'étant pas là pour amortir les coups et circonscrire les pertes, celles-ci se répercutent par l'intermédiaire du plan comme une onde de choc à toute l'économie, sans l'intervention d'aucun phénomène économique spontané de compensation. Les dégâts causés à l'économie soviétique par un fournisseur défaillant ne pourront être réparés que par une modification du plan, toujours longue à intervenir. Alors que dans une économie de marché le concurrent viendra tout naturellement prendre la place du fournisseur défaillant et, si la demande excède de ce fait l'offre, la hausse des prix stimulera l'offre, de telle sorte que l'onde de choc sera vite amortie.

3.3.5.5. La souplesse conférée à l'économie par la décentralisation des anticipations spéculatives

Les caractéristiques de l'économie actuelle et notamment la concentration, l'industrialisation du tiers-monde, le mondialisme des échanges, l'accélération du progrès, la saturation des besoins, la turbulence de l'environnement exigent de nouvelles qualités de nos économies au premier rang desquelles la souplesse et l'adaptabilité aux conditions nouvelles.

Si le Japon, sans ressources naturelles et notamment sans pétrole, a su se hisser au premier rang des économies nationales actuelles, c'est parce qu'il a su à temps se désengager des secteurs économiques traditionnels en péril (sidérurgie, textile, chantiers navals) et prendre une place éminente dans les secteurs d'avenir (électronique, audiovisuel, informatique, biochimie), grâce à sa remarquable adaptabilité. L'abondance de l'information économique apportée par la presse spécialisée et la multiplicité des recherches en marketing et commercialisation effectuées par les *shoshas*, facilitent les anticipations spéculatives indispensables à l'adaptation.

La décentralisation de celles-ci en général est l'une des conditions de la souplesse et de l'adaptabilité de l'économie, auxquelles excellent les « nouveaux japons » de l'Asie du sud-est.

Inversement, tout ce qui est rigidité, frais généraux, charges, coûts non justifiés par la création de valeur économique, rémunération ne découlant pas de celle-ci, constituent autant d'entraves à l'adaptation et au redéploiement économique indispensable.

En France, pays de tradition jacobine et napoléonienne centralisatrice, il semble que l'on ait pris conscience des bienfaits de la décentralisation, même au niveau des études et des prévisions puisque, malgré la qualité des travaux de l'I.N.S.E.E. qui détenait un quasi monopole dans ce domaine, on souhaite, à l'exemple de l'Allemagne et du Japon, la multiplication des centres d'études et de prévision.[35]

4 – Les conséquences de la primauté actuelle de l'anticipation spéculative dans la création de la valeur économique

Nous pensons avoir suffisamment établi que l'anticipation spéculative joue aujourd'hui, et jouera plus encore demain, un rôle de premier plan dans notre économie.

Il reste à examiner quelles conséquences va entraîner cette primauté en ce qui concerne, d'une part, l'évolution prévisible de notre société et, d'autre part, les mesures de politique économique de nature à permettre à l'anticipation spéculative de porter ses fruits.

4.1. Les conséquences sur l'évolution de notre société de la primauté de l'anticipation spéculative

Les principales conséquences de cette primauté de l'anticipation spéculative pour l'avenir de notre société nous paraissent être de trois ordres dont on voit déjà les premiers signes se manifester :
– une désacralisation du travail ;
– un engouement croissant pour la prospective ;
– une plus grande dureté dans les rapports économiques et sociaux.

4.1.1. La désacralisation du travail

Depuis Marx, le travail est sacré et le travailleur, comme l'ancien combattant de 1914-1918, a tous les droits aux yeux de l'opinion publique. Dès lors, il apparaîtra de plus en plus évident que le travail en soi n'est pas par lui seul créateur de valeur et que le travailleur, dans la plupart des cas, peut être remplacé avantageusement par une machine ou un ordinateur, le travail perdra de son prestige et le travailleur de son « aura ».[40] Le caractère éminemment ouvriériste de notre société nous paraît déjà en voie d'être remis en question notamment par l'augmentation des marginaux et du chômage, par le déclin des syndicats ouvriers et des partis politiques de travailleurs.[35-36-37]

4.1.1.1. Le phénomène des marginaux

Comme il apparaît de plus en plus évident que la rémunération n'est plus liée au travail fourni, un nombre croissant de jeunes cherchent à vivre sans travailler ou du moins sans avoir de métier durable définitif. Le nombre de « marginaux » et d'« irresponsables » se multiplie.

Le chômage endémique est aussi l'une des causes de la désacralisation du travail. Alain Murcier prévoit, pour les années 80 : *« une France où la marée montante du chômage, au moins durant la première partie de la décennie, précipitera le changement d'attitude à l'égard du travail ».*[38] De récentes recherches, effectuées par le Centre d'études de l'emploi du Ministère du Travail et de la participation et publiées dans le 20e Cahier de ce centre, sous la direction du Docteur Rousselet, arrivent à la conclusion que le chômage pousse les jeunes à se désintéresser de la vie en société et que ceux-ci ne refusent pas le travail mais le « désacralisent » au profit des loisirs, de la culture, du cadre de vie et de l'intérêt pour la famille.[38-39]

Par ailleurs, pour s'affranchir de l'aliénation du salariat, certains s'orientent vers l'artisanat ou les communautés agricoles.

4.1.1.2. Le déclin des syndicats ouvriers

Les ouvriers, qui furent les premiers à la fin du XIXe siècle à s'organiser en syndicats, ont acquis de ce fait un poids considérable dans la vie publique. En Angleterre et dans les pays nordiques, ils obtinrent au XXe siècle le pouvoir et firent la loi.

Voici ce qu'écrit René Dabernat au sujet du pouvoir syndical en Angleterre : *« ... l'édifice politico-syndical de l'Etat-providence, mis en place à partir de 1945 pour corriger les excès et les injustices du capitalisme, a créé chez certains délégués ouvriers un sentiment de puissance absolue, sinon d'inviolabilité. On a vu se développer le protectionnisme corporatif, ainsi que toutes sortes de privilèges et d'immunités, allant du monopole d'embauche à l'emploi de deux ou trois travailleurs quand un seul suffirait. Ni les efforts des cabinets travaillistes des années 60, avec le projet de Barbara Castle, ni les menaces du ministère conservateur d'Edouard VIII, au début des années 70, ne purent entamer le bastion syndical. D'où l'intensité du conflit actuel. Beaucoup dépend de ce choc entre les tenants de la lutte des classes et ceux qui veulent restaurer démocratiquement les traditions anglo-saxonne de responsabilité et d'effort. Deux visions dont le heurt domine l'avenir du royaume uni et toute notre époque. »* [41]

Depuis quelques années, le pouvoir syndical semble décliner.[41] D'autres catégories sociales se sont organisées à leur tour et sont venues combler le vide social laissé par la disparition de la plupart des corps intermédiaires, autres que les syndicats ouvriers : les agriculteurs, les femmes, les immigrés, les consommateurs et les écologistes, se constituèrent à leur tour en associations, syndicats et groupes de pression. Un corporatisme généralisé tous azimuts s'est développé pour la défense de toutes les professions et de toutes les catégories sociales.

Il en est résulté une société où les rémunérations ne dépendent plus de la création de la valeur économique par le profit, la spéculation ou le travail, mais de la revendication et du pouvoir social du groupe qui revendique – pouvoir social qui dépend à la fois de la masse qu'il représente et de la qualité de son organisation.

Les syndicats ouvriers n'étant plus les seuls à être organisés, leur pouvoir relatif diminue. Voici ce qu'écrit à ce sujet Hervé Jannic : *« L'une des conséquences du renouveau de l'entreprise (qui s'alignera un peu sur le modèle japonais) est l'apparition de nouvelles relations sociales. »*[43] *« Le schéma pyramidal va craquer,* annonce Jacques Lesourne, *puisqu'il y aura de plus en plus d'entreprises sans ouvriers, des cadres sans personne à commander, et des tech-*

niciens aussi instruits que des ingénieurs. » Les hiérarchies seront donc court-circuitées et les contre-pouvoirs laminés, à commencer par le contre-pouvoir syndical. « Autant une organisation mécaniste peut s'accomoder tant bien que mal des syndicats, autant l'entreprise *« personnalisée et compétitive »* dont parle Gélinier ne peut admettre que des corps étrangers agissent sur sa substance et mettent en cause son efficacité. Aucune arrière-pensée n'inspirera cette mise à l'écart des syndicats ; il s'agira tout simplement d'éliminer l'une des rigidités de l'entreprise. L'opération se fera d'autant plus facilement que l'ouvrier classique – client favori des syndicats – sera une espèce en voie de disparition en 1990. »[43]

En outre, leur grande arme, la grève, tend à s'émousser car les consommateurs ou usagers, qui en sont les premières victimes, la supportent de plus en plus mal. En effet, il apparaît de plus en plus évident à l'opinion que ce que l'on donne aux producteurs en loisirs et rémunérations, on ne peut le prendre qu'aux consommateurs, sous forme de hausse de prix. Si on s'obstine à vouloir le prendre aux entreprises sans que celles-ci puissent le répercuter dans leur prix, on provoque leur faillite, qui atteint par un effet boomerang les salariés qui se retrouvent au chômage. Certes, les progrès de la productivité permettent, dans une certaine mesure, d'améliorer les conditions de travail et d'augmenter les salaires, mais le problème demeure de savoir qui doit bénéficier de ce progrès de la productivité et dans quelle proportion, des travailleurs grâce aux hausses de salaires et aux réductions du temps de travail ou des consommateurs, plus nombreux que les précédents, par le biais d'une baisse relative des prix du produit ou du service mis à leur disposition. Trop souvent jusqu'ici les travailleurs, mieux organisés que les consommateurs, ont confisqué à leur profit ce progrès de productivité.[44] Cette société syndicale, corporatiste et de revendication où nous vivons est dans une grande mesure à l'origine de l'inflation que nous connaissons, celle-ci étant plus forte en Europe dans les pays où les syndicats ouvriers ont de l'influence, soit qu'ils soient au pouvoir, comme dans l'Angleterre travailliste, soit qu'ils ne rencontrent en face d'eux aucun frein de la part des pouvoirs publics désorganisés comme en Italie.[53]

Dans la mesure où les consommateurs (ou les usagers) sont plus nombreux que les travailleurs, il est plus démocratique de faire bénéficier les premiers plutôt que les seconds des progrès de la productivité. D'ailleurs, Bruno Tietz annonce, parmi les changements des valeurs, le fait que *« les activités du consommateur dans le cadre de l'économie se trouvent renforcées ».*[45] Il semble bien que ce renforcement du rôle du consommateur soit l'un des principes qui inspirent l'actuel politique économique du Ministère de l'Economie, rejoignant en cela le mouvement consumériste pour l'essentiel d'origine américaine.

Certains économistes vont plus loin et voient dans cette pression des salariés la cause même de la crise. C'est le cas d'André Granou, Yves Baron et Bernard Billaudot, qui écrivent dans leur ouvrage *La croissance et la crise* que la crise actuelle n'est ni un accident conjoncturel dû à la crise pétrolière, ni la conséquence d'une insuffisance de la consommation, mais qu'elle a *« pour racine la lente dégradation de la mise en valeur du capital... ».* Selon ces auteurs : *« Les gains de productivité n'ont pas été suffisants, du fait de la résistance ouvrière, pour compenser l'effet de la progression du capital par tête sur la productivité et la croissance relativement rapide des gains salariaux. La baisse des taux de rentabilité du capital et la forte croissance de la part des salariés dans la valeur ajoutée, au détriment des profits, ont entraîné la chute des taux d'investissements, qui a été le véritable moteur de la récession. »*[46] Cette argumentation nous paraît assez convaincante et bien décrire la situation de l'économie française, notamment de 1968 à 1976. Les auteurs concluent non pas au dépérissement du capitalisme mais à une nouvelle mutation de celui-ci qui surmonterait ses contradictions en modifiant ses structures par une nouvelle division internationale du travail et ses pratiques par un regain de libéralisme et la mise en cause de certaines conquêtes sociales.

4.1.1.3. Le déclin des partis de travailleurs

Dans le monde occidental aujourd'hui, presque tous les partis de travailleurs ont perdu le pouvoir, sauf en Allemagne où les sociaux-démocrates ont toujours été réalistes sur le plan économique au point de pratiquer une politique économique libérale et n'ont jamais fait preuve d'anti-capitalisme systématique.

S'agit-il d'un simple mouvement d'alternance ou d'un phénomène plus profond ? Pour notre part, nous retenons la deuxième hypothèse : compte tenu du fait que ces partis n'ont jamais été capables de proposer, en alternative au capitalisme, un programme économique crédible autre que le capitalisme d'Etat. Toutes les réformes préconisées, notamment par le programme commun de la Gauche en France, étaient autant d'entraves au libre jeu de l'anticipation spéculative et, par le fait, à la création de la valeur.[47]

Si ces partis ne se métamorphosent pas en changeant radicalement le contenu de leur message, s'ils continuent notamment à radoter la scolastique marxiste, ils seront irrémédiablement balayés par le souffle des réalités.[48]

Même au Parti communiste français, on assiste à une réaction contre l'ouvriérisme de la part des intellectuels. Claude Frioux estime que le projet de résolution à soumettre à l'examen du conseil national du parti communiste devrait « *contribuer à priver définitivement l'anti-intellectualisme ouvriériste de toute base objective en même temps que de toute légitimité stratégique.* » Il précise : « *Cet*

86

ouvriérisme et son implication anti-intellectuelle continuent à faire des ravages dans notre propagande, risquent de contaminer le fond de notre politique et constituent un danger beaucoup plus grave que cette « restalinisation » transhistorique qui hante certains camarades incapables, semble-t-il, d'imaginer la direction politique sous une autre forme que celle du rhéostat linéaire par où se conduit un tramway... » Il poursuit : « *On vit refleurir toutes les vieilles chevilles de l'ouvriérisme, à nouveau érigées en absolu : « ne pas servir l'adversaire », « ne pas perdre de vue l'essentiel », « ne pas troubler le travailleur », « donner l'impression de n'avoir jamais eu tort ».*[49]

Jean Edern Hallier constate, comme la nouvelle droite : « *la fin de l'hégémonie culturelle de la gauche* »[50] et Alain Murcier parle de « *l'anti-travaillisme des Français de demain* ».[38]

4.1.2. L'engouement croissant pour la prospective

L'une des causes de la crise de civilisation que nous vivons vient de ce que, comme le constate Gaston Berger[26] : « *un décalage s'est produit entre l'accélération et la perturbation des phénomènes économiques et sociaux et les moyens qu'a l'homme de les appréhender et de les maîtriser, bref au retard pris par l'économie politique par rapport aux faits. Il est vraisemblable que, pour combler ce retard et reconquérir cette maîtrise, l'homme fera appel comme toujours à la science et à la technique.* »

Il faut donc s'attendre à un nouveau développement de toutes les disciplines qui permettent à l'homme de réduire le caractère aléatoire de ces anticipations. On peut donc affirmer sans grand risque de se tromper que l'engouement que l'on constate aujourd'hui pour la prospective ne fera que s'accentuer et que toutes les techniques de la futurologie ont encore de beaux jours devant elles. On fera de plus en plus appel à l'informatique, aux banques de données, au marketing, aux modèles, à la simulation, aux scénarios, à la programmation, à la planification, à la segmentation stratégique, à l'analyse multicritère, à la théorie des créneaux, bref à toutes les disciplines et à toutes les méthodes capables de réduire les incertitudes du futur et de permettre à l'homme de maîtriser au lieu de subir son destin.[51-52] Depuis peu, certains instituts et centres d'études s'efforcent même de prévoir les crises sociales et politiques et d'apprécier le risque politique présenté par les différents pays.[53]

Voici ce qu'écrit à ce sujet Pierre Drouin, aux yeux de qui ce phénomène n'est pas passé inaperçu : « *Pourquoi ceux qui font métier de prévisionnistes n'ont-ils jamais tant prospéré alors que leur tâche est de plus en plus difficile ? Précisément parce que les aléas, qu'il s'agisse de politique, de monnaie ou de matières premières, n'ont jamais été aussi grands et aussi parce que, comme le disait l'un d'eux, l'Américain Michael K. Evans, leur devise – formulée ou non – est celle-ci :* « Souvent dans l'erreur, jamais dans le doute. » *Pour nombre d'hommes d'affaires, l'hésitation est souvent plus insupportable que le risque de se tromper. Notamment pour les dirigeants des firmes multinationales qui ne peuvent laisser leurs profits en repos et dont la mauvaise appréciation ici peut être compensée ailleurs par de bonnes mises.* »[51]

Au jeu des investissements des grands groupes internationaux, on peut sans doute en apprendre plus sur le paysage des affaires de demain que dans tous les scénarios économétriques. Dans la tourmente, le flair du capitaine de navire n'est-il pas plus important que tous les calculs ? La crise a contraint les responsables des firmes privées à réviser leur stratégie. Où placent-ils leurs pions aujourd'hui ? Quels havres ont-ils abandonné ?[51] François Perroux confirme : « *Nous sommes tous contraints à une gestion prévisionnelle à long terme, sur tous les niveaux, ceux de l'entreprise, de l'in-*

dustrie, de la région, de la nation dans le monde. Des projections intelligentes peuvent aider les décisions ; malgré le progrès de leurs techniques, elles sont bien loin de procurer une prévision rigoureuse et proprement dite : elles réduisent sans l'exclure le domaine du pari. » [8]

Il faut s'attendre aussi à un développement croissant de la coopération internationale qui permettra de mieux prévoir la demande, mais surtout de mieux anticiper et contrôler l'offre.

C'est aussi l'avis de Thierry de Montbrial qui écrit : « *On peut penser qu'en 1990 on sera arrivé, par approximations successives, à une nouvelle organisation des échanges économiques internationaux, plus souple et d'inspiration moins libérale que celle mise en place en 1945, mais aussi plus compatible avec la participation à des degrés variables des pays à systèmes économiques et sociaux différents (pays de l'Est, du tiers-monde). Ainsi seront réunies les conditions propres à la réduction des incertitudes au niveau international et, par conséquent, au retour du cercle vertueux.* »[52]

4.1.3. Le durcissement des rapports économiques et sociaux

Jusqu'à ces dernières années, l'opinion publique a orienté la législation dans le sens humanitaire et égalitaire et vers la recherche à tout prix de la sécurité, essentiellement en vertu de considérations éthiques et de pulsions sentimentales, sans aucune prise en considération des effets réels des mesures adoptées quant au but poursuivi, de leur coût et de leur conséquences générales immédiates et médiates.

La dureté des temps, conséquence de l'évolution économique, va engendrer un nouvel âge de fer où ne s'imposeront que les plus réalistes, les plus lucides et les plus aptes. Le retour à la mode du

Darwinisme et de la théorie de la sélection naturelle, dans les doctrines de la Nouvelle Droite notamment, et l'intérêt qu'éveillent celles-ci dans l'opinion, sont des signes prémonitoires.

Il est vraisemblable que les systèmes de protection sociale apparaîtront comme un luxe que beaucoup de pays ne pourront plus se payer.

Parmi les principaux bruits qui vont troubler l'ordre en place dans la décennie 1980 et aider à la naissance du nouvel ordre dans la dernière décennie du siècle, les dix principales mutations dont l'agencement et la chronologie encore indiscernables détermineront les conditions de « *la survie du monde* », Jacques Attali met au deuxième rang : « *l'effondrement des institutions sociales dans les pays capitalistes développés* » et précise : « *la crise financière des institutions de sécurité sociale et d'éducation explosera dans les années prochaines. Dans une économie industrielle, le coût relatif de ces activités artisanales, à faible productivité, ne peut qu'augmenter, jusqu'à devenir fiscalement insupportable. Commencera alors une période de pénurie de soins et d'éducation, donc de rationnement, jusqu'à l'euthanasie et le « numerus clausus »*.

Mais les pays de l'Est ne seront pas épargnés puisqu'au premier rang des mutations, Jacques Attali prévoit « *l'extension de la crise économique aux pays dits socialistes* » en ces termes : « *Dans ces pays, l'arrêt de la croissance, la pénurie pétrolière, les difficiles adaptations de l'appareil productif, feront définitivement renoncer tous les observateurs à l'idée d'un modèle de croissance garantie et régulière. Ces pays apparaîtront pour ce qu'ils sont : des pays quasi capitalistes, un peu particuliers, où le parti unique tient lieu de bourgeoisie, la file d'attente d'inflation, le gaspillage de capital de baisse du taux de profit.* » [56]

Quoiqu'il en soit, il faut s'attendre à un durcissement des rapports économiques et sociaux, entre les individus comme entre les groupes et les nations, générateur d'un climat favorable à ceux qui sauront réaliser les anticipations spéculatives exactes, mais sévère pour ceux qui feront des anticipations fausses, pour les faibles et les attentistes. François Perroux confirme : « *Dans un univers où les plus grands risques sont à l'affût, la peur où la pusillanimité promet la débâcle.* »[8]

Pour Thierry de Montbrial, en 1990 : « *la relative dureté des temps aura conduit les esprits à un certain réalisme. Les idéologies pèseront sans doute moins lourd dans le monde occidental de 1990; le marxisme, par exemple, pourra paraître archaïque. En revanche, la réflexion politique aura beaucoup progressé sous la pression de la nécessité de trouver des formules adaptées aux exigences des faits.* »[66]

Le type de l'homme d'Etat de cet âge de fer sera donné par Raymond Barre, dans la mesure où, économiste averti, il n'est pas trop ménager de l'opinion publique et des droits acquis, et plus encore, par Elisabeth Thatcher, « la dame de fer », qui redressera l'Angleterre, si tant est que celle-ci veuille et puisse encore l'être.

4.2. Les conséquences sur la politique économique de la primauté de l'anticipation spéculative

Les gouvernements qui voudront cueillir les fruits de la création de la valeur économique devront prendre les mesures propres à instaurer un climat favorable à l'anticipation spéculative.

A notre sens, ces mesures doivent s'articuler autour de deux axes :
– l'abolition des rigidités et des entraves,
– la remise en honneur du risque spéculatif et de la notion de responsabilité économique.

4.2.1. L'abolition des rigidités économiques et des entraves

Dans toute la mesure du possible, tout revenu qui ne découle pas d'une création réelle de valeur économique ou qui ne contribue pas à cette création est à supprimer. En effet, un revenu réel, un « *vrai droit* » pour reprendre la terminologie de Jacques Ruef, ne peut provenir que de la création d'une valeur économique réelle, inversement, toute rémunération indépendante de la création d'une valeur économique réelle est prélevée soit directement par transfert, soit indirectement par l'inflation sur la création d'une valeur économique réelle au détriment des créateurs de cette valeur qui ne perçoivent pas la totalité de la contre-valeur en revenu que cette création représente. On voit quel peut être l'effet dissuasif à l'égard du candidat à l'anticipation spéculative que peuvent avoir ces faux droits, ces revenus confisqués a priori qui viennent amputer la contre-valeur de la création économique au point que le risque de l'anticipation n'a plus une contrepartie suffisante dans le gain escompté. Pour parler vulgairement, « *le jeu ne vaut plus la chandelle* ». Le spéculateur se trouve logiquement converti en un quelconque assisté ou titulaire de revenu de transfert, situation ou statut plutôt qu'activité économique parce que non créatrice de valeur, ne comportant pas de risque et assuré d'une rémunération au moins minimum et dans certains cas maximum puisque la Cour des Comptes a constaté que l'aide de l'Etat pour calamités agricoles avait représenté, par exemple, pour les producteurs de blé du Gers en 1977, jusqu'à 1 484 % des revenus imposés.[57] Pour l'anticipation spéculative comme pour les prix, il faut la transparence économique, c'est-à-dire que la quasi-totalité de la valeur créée par l'exacte anticipation spéculative réalisée revienne à son auteur, sans quoi celui-ci, s'il est clairvoyant, ne prendra plus le risque d'une anticipation dont l'essentiel du gain espéré lui est confisqué.[55-56]

Bien sûr, il est impossible de faire disparaître tous les revenus autres que les profits spéculatifs. Il faut toutefois préserver au maximum ceux-ci et réduire au strict minimum tous les revenus fixes et de transferts qui constituent autant de rigidités économiques, c'est-à-dire de rémunérations versées avant toute création de valeur économique et quelque soit l'existence ou la non-existence de celle-ci.

Il en est ainsi de tous les traitements de fonctionnaire et de tous les statuts d'agents publics ou semi-publics. D'ailleurs, à l'origine, les traitements de fonctionnaires avaient ce caractère de rémunération minimale qu'ils ont perdu avec la multiplication des agents de la fonction publique et l'accroissement de leur pouvoir syndical. Il en est ainsi de tous les revenus de transferts sociaux qui représentent actuellement le quart du revenu national et dont Jacques Attali a montré la fragilité.[56]

Il en est ainsi de toutes les subventions officielles où occultes, indemnités, prises en charge de déficits, dotations en capital, bonifications d'intérêts, etc., accordées aux entreprises publiques et privées et qui maintiennent en survie beaucoup de « canards boiteux ». Celles-ci brouillent la transparence comptable de l'économie, font apparaître de fausses rentabilités et empêchent le jeu productif de véritables anticipations spéculatives.

Il en est ainsi de tous les salaires fixes qui ne peuvent être, du fait de leur sécurité et de leur indépendance du résultat des anticipations spéculatives, que des assurances minimales et auxquelles il faut préférer systématiquement toutes les rémunérations sous forme de commission qui, par définition, du fait de leur caractère aléatoire et a posteriori, sont liées à la création de la valeur même à l'origine de laquelle leur titulaire a participé.[55-58-59]

Robert Bacon et Walter Eltis ont bien montré l'effet pernicieux sur l'économie anglaise de l'excès de revenus accordés à des non-producteurs.[63]

La plupart des mesures de protection des salariés, telles qu'obstacle au licenciement, indemnité de départ, charges sociales, etc., constituent autant de rigidités qui empêchent l'adaptation de l'économie à l'évolution du marché et freinent l'anticipation spéculative.[61-64]

D'une façon générale, il faudrait que les pouvoirs publics demeurent le plus sourds possible aux revendications et aux demandes d'assistance et de subventions, et qu'ils brisent tous les corporatismes et groupes de pression, alors qu'ils ont tendance à faire taire les revendications et à parvenir au consensus politico-social, à coup d'indemnités, tantôt aux agriculteurs, tantôt aux ouvriers de la sidérurgie, aux personnes âgées, aux parents d'enfants d'âge scolaire, etc.

Ou, au moins, il faudrait que chaque fois qu'une mesure égalitaire ou de solidarité est préconisée – et à plus forte raison octroyée – son coût financier soit au préalable chiffré, son effet, eu égard à l'objectif recherché, évalué, ses autres conséquences immédiates et médiates, notamment sur l'économie et la création de la valeur réelle, estimées pour apprécier quel est son bilan global véritable et éviter qu'elle ne soit adoptée les yeux fermés, ne correspondant qu'à un élan sentimental ou démagogique. C'est ainsi que Jacques Lesourne considère que la moindre des choses serait que l'on mit en face des budgets sociaux *« la valeur des consommations alternatives auxquelles ils nous obligent à renoncer. »*.[64]

Ces évaluations des mesures projetées ne sont jamais faites, mais seulement des sondages sur leur popularité, ce qui conduit tout droit les pouvoirs publics à la démagogie et à sacrifier, en recherchant avant tout le consensus, le bien-être réel des citoyens à la tranquillité

94

et à la popularité de leurs gouvernants. Certes, il est héroïque, voire présomptueux, pour un gouvernement, de vouloir faire le bonheur des citoyens malgré eux ; un gouvernement responsable et honnête devrait au moins, avant l'adoption de toute mesure sociale, en expliquer aux citoyens le coût, l'effet, les conséquences et l'enjeu. Tel est le seul moyen de concilier l'efficacité et la démocratie.

Nombreuses sont les mesures sociales qui vont à l'encontre même du but recherché. Les indemnités de chômage, en incitant les femmes à vouloir travailler, ont multiplié le nombre de chômeurs. Les indemnités et les difficultés de congédiement freinent considérablement l'embauche.[64] Les hausses de salaires, en augmentant l'inflation, favorisent essentiellement les propriétaires de biens réels, meubles ou immeubles. Des économistes ont constaté, en Angleterre, que l'aggravation de l'inégalité des classes sociales au droit à la santé avait été la principale conséquence de l'institution du système de santé : en effet, les titulaires de faibles revenus ne se sont guère soignés davantage car ils bénéficiaient déjà de l'assistance et de tarifs très préférentiels de la part des médecins libéraux, par contre les dépenses de santé des classes aisées, de coûteuses devenues gratuites, ont augmenté considérablement au frais de l'ensemble de la population. [62-63-64]

Enfin, récemment, des responsables de l'économie française s'efforçaient de convaincre leurs homologues japonais d'accroître leurs prestations et leurs charges sociales, pour égaliser les conditions concurrentielles entre les deux pays. Mais il n'est pas prouvé que la légèreté des charges sociales au Japon n'ait pas permis une croissance économique telle que l'augmentation des revenus des ouvriers japonais leur permette de mieux se soigner aujourd'hui et à un moindre coût qu'avec un pesant système de protection sociale qui aurait freiné la croissance économique et l'augmentation du niveau de vie : le bilan global reste à faire. Et compte tenu de la prophétie de Jacques Attali à cet égard, ce sont peut-être les Japonais qui sont en avance sur nous et ont fait là une bonne anticipation spéculative.

Dans un monde économique perturbé et en mutation accélérée, la première qualité d'une économie c'est sa souplesse d'adaptation, son principal défaut la rigidité de ses structures et notamment des rémunérations.[65]

Cette exigence de souplesse et d'adaptabilité des entreprises n'a pas échappé à Hervé Jannic qui écrit: « *Ce qui comptera pour l'entreprise de demain, ce sera moins de se redéployer que d'être en état de changement permanent. Selon Jean Gandois, patron de Rhône Poulenc, les structures industrielles devront être plus souples, les investissements plus adaptables, les achats mieux sélectionnés, les produits à durée de vie plus courte, les stocks réduits au minimum. Bref, l'entreprise devra être plus mobile, plus disponible, un peu à l'image de ce que sont aujourd'hui les sociétés d'informatique chez qui la notion de produit importe moins que le marché et la technologie. A partir de là, on redécouvrira – mais indirectement – les vertus du redéploiement géographique puisque, les produits étant plus éphémères et les marchés plus capricieux, seul l'élargissement des débouchés permettra d'amortir les investissements initiaux... L'entreprise de 1990 disposera d'une batterie d'unités de production à la fois complémentaires et interchangeables, susceptibles d'accueillir des technologies différentes et de fabriquer des produits évolutifs. L'entreprise-institution entretenait des capacités de production, l'entreprise-système imaginera des capacités de réponse. C'est toute la différence entre la caserne du temps de paix et le corps de bataille du temps de guerre... Plus que jamais, la stratégie dépendra du chef d'entreprise qui doit avoir du recul et être libéré des contingences s'il veut changer de cap très rapidement. A cet égard, l'autorité du patron va se renforcer au cours des années qui viennent.* »[43]

En effet, c'est le patron qui, en dernier ressort, prend la responsabilité de la décision en matière d'anticipation spéculative et c'est pour assumer avec toutes les chances de succès cette responsabilité que son autorité devra se renforcer.

Et Hervé Jannic poursuit : « *Autrement dit, l'entreprise de demain aura besoin d'avoir l'esprit clair, le ventre plat et les mains libres pour être performante. Qu'on ne vienne pas l'entraver, au nom de l'intérêt général (défense de l'emploi, aménagement du territoire, indépendance nationale), par des contraintes administratives.* »[43-66]

4.2.2. La remise en honneur du risque spéculatif et de la notion de responsabilité

Il convient de rendre ses titres de noblesse au risque, à la responsabilité individuelle et collective, et même à la spéculation.[70]

Le risque est indissociable de la vie économique et de la création de valeur. Il est même indissociable de la vie tout court. La recherche avant tout de la sécurité conduit à l'inaction, à la paralysie, à la mort. Toynbee explique l'épanouissement des civilisations par la « *riposte* » qu'elles ont su donner au « *défi* » d'un environnement hostile, alors qu'un cadre trop favorable ne permet pas cet épanouissement. L'espèce ne se reproduirait même pas si les spermatozoïdes ne prenaient pas de risque !

Il faut favoriser la création d'entreprises nouvelles et les opérations de capital-risque (*venture capital*). Il semble que le gouvernement français l'ait compris, qui a pris récemment des mesures en leur faveur. Raymond Barre, dans son discours de clôture de la IVe Semaine du travail manuel, le 2 mars 1980, a déclaré : «*... cette invitation à la création d'entreprises nouvelles s'insère dans une conception d'ensemble de notre société, celle d'une société de*

*liberté et de responsabilité, dans laquelle participation et concen-
tration doivent devenir une sorte de disposition d'esprit et de principe d'action qui trouvent leur expression dans le fonctionnement
quotidien de la vie des entreprises.*[69] *»* Ce qui est essentiel, en l'oc-
currence, c'est le goût du risque de la population.[70]

La Caisse Nationale des Marchés de l'Etat (C.N.M.E.), dans une
étude sur *« la création d'entreprise aux Etats-Unis »* constate que la
plus grande naissance d'entreprises, comme leur plus grande morta-
lité, aux Etats-Unis qu'en France, s'explique par ce goût du risque
plus développé outre-Atlantique que chez nous. Il apparaît, en effet,
que beaucoup plus que les disparités existant dans le dispositif juri-
dique, administratif ou financier, le facteur déterminant qui explique
la différence des taux de création d'entreprises (entre les deux pays)
mais aussi, inversement, celle des taux d'échec, est en fait la propen-
sion à prendre des risques des entrepreneurs. Pourtant, les apprentis
patrons américains ne diffèrent pas de leurs homologues français, ni
par les motivations (recherche de sécurité d'emploi, de prestige,
d'indépendance, etc.) ni par l'âge (quarante ans en moyenne), ni par
les caractéristiques socioprofessionnelles (niveau d'éducation relativement élevé, formation d'ingénieur ou de travailleur manuel plus
que de chercheur, etc.). Il faut donc rechercher l'origine de ce « goût
du risque » plus prononcé outre-Atlantique dans un ensemble de
facteurs, d'ordre essentiellement sociologique : l'éducation paren-
tale ou scolaire habitue l'Américain, dès l'enfance, à *« ne compter
que sur lui-même pour réussir, à prendre décisions et responsabilités »* ; le risque d'une rupture de carrières est moins important (le
créateur potentiel est quasiment assuré en cas d'échec de retrouver
un emploi) surtout *« la société américaine récompense le succès en
affaires, mais ne punit pas l'échec ». « Le créateur dont l'entreprise
échoue, et qui décide d'arrêter l'expérience avant la faillite, ne sera
accablé d'aucun opprobre s'il n'a pas lésé les intérêts des créan-
ciers et pourra sans difficulté recommencer l'expérience quelques*

années plus tard » explique la C.N.M.E. Conclusion : une politique d'aide à la création d'entreprises efficace en France ne peut se contenter d'apporter un soutien fiscal, financier ou administratif spécifique aux créateurs. Elle passe d'abord par une refonte du système éducatif, puis par une action soutenue de formation et de conseil des créateurs potentiels. *« A supposer que les pouvoirs publics français veuillent poursuivre leur politique (...) la voie à suivre paraît à la fois nette et très longue »* conclut la C.N.M.E.[71]

Il faut limiter la surimposition des gros revenus et des bénéfices des sociétés, non seulement pour ne pas décourager la prise de risque faute de l'incitation du gain, mais parce que, pour prendre des risques de façon décentralisée, il faut disposer des capitaux nécessaires, ce qui est toujours plus facile lorsqu'on en est propriétaire que lorsqu'il faut les rassembler par des « tours de table ».

Il faut surtout supprimer des lois aussi malthusiennes que l'imposition des plus-values, notamment en matière de bourse, qui aboutissent à la confiscation d'une partie des gains découlant de la valeur créée par une exacte anticipation spéculative. Surimposer les gains de bourse et permettre de déduire les pertes, ne constitue pas autre chose qu'une pénalisation infligée à la réussite et qu'une prime donnée à l'erreur ; sans parler des nouveaux travaux de comptabilité fiscale inutiles que nécessite cette loi à faible rendement. C'est le type même de la loi qui fausse le jeu de l'anticipation spéculative créatrice, ceci dans un but de rechercher un fallacieux consensus politique en donnant des gages à la Gauche. D'une façon générale, les impôts de ce type qui frappent les échanges et les transactions sont de nature à décourager et à ralentir celles-ci, c'est-à-dire à freiner l'activité économique. De ce point de vue, une imposition sur le capital, incitant les détenteurs de celui-ci à le rentabiliser au maximum, serait bien préférable à un impôt sur la plus-value ou le revenu de ce capital.

Les motivations sentimentales, éthiques ou égalitaires, sont souvent, en la matière, mauvaises conseillères. La pénurie de pétrole a entraîné la hausse des prix qui a permis aux compagnies pétrolières de faire des super bénéfices ; aussitôt des voix s'élèvent pour demander confiscation par un impôt spécial de ces super bénéfices alors qu'il faudrait, tout au contraire, accroître les moyens financiers des compagnies pour leur donner la possibilité d'une recherche pétrolière plus active, seule capable par de nouvelles découvertes de réduire la pénurie.

Mais, pour beaucoup, périsse l'économie, pourvu que vivent leurs principes, découlant souvent d'une éthique étriquée dont la motivation profonde n'est que démagogie et jalousie.

***

La prise en considération de l'anticipation spéculative en économie et les conditions de son libre jeu semblent conduire à des recommandations relevant de ce qu'on appelle parfois le libéralisme « sauvage ». Sans doute appartient-il aux institutions nationales et internationales de le domestiquer, compte tenu d'impératifs éthiques et sociaux. Mais il faut veiller à ce que cette domestication n'aille pas jusqu'à la castration et ne conduise pas à la paralysie économique par excès d'intervention, de réglementation et de bureaucratie. Les pays qui ne respecteraient pas cette précaution risqueraient de prendre sur les autres, au cours des prochaines décennies, un retard considérable les menant finalement à la ruine et à la perte de leur indépendance.

Il semble qu'à cet égard nous soyons aujourd'hui devant un choix décisif pour les prochaines décennies : ou bien l'on continue à rechercher avant tout la sécurité, à distribuer des revenus de revendication et d'assistance sans lien avec la création de la valeur économique et à décourager la prise de risque, la responsabilité et l'anti-cipation spéculative créatrice, pour aboutir à une économie jugée juste par certains mais objectivement statique et dominée par l'Etat tutélaire, ou bien on limite, voire on réduit, les revenus de revendi-cation, de transfert et d'assistance, on allège les charges, on supprime les freins et les entraves, on favorise les gains découlant de la création de valeur économique, on laisse jouer librement, voire on aide, l'initiative, la prise de risque, l'anticipation spéculative créa-trice, pour redonner un deuxième souffle de dynamisme et de crois-sance à notre économie.

Ce concept d'anticipation spéculative nous paraît fécond. C'est une clé qui semble ouvrir beaucoup de portes. Il pourrait sans doute utilement être étendu à d'autres domaines que l'économie, par exemple à la stratégie politico-militaire ou à la création intellectuelle et artistique. En stratégie, une exacte anticipation des réactions de l'adversaire valorise les mesures prises et, inversement, une fausse anticipation les réduit à néant et les transforme en coûts ou pertes. Dans le domaine culturel, le créateur anticipe l'évolution de l'opinion et du goût qu'il contribue très largement à former, comme en économie l'offre, en cas d'anticipation exacte, contribue à susciter la demande. Il ne reste qu'à souhaiter que cette notion d'anticipation spéculative, créatrice de la valeur, se révèle, sur le plan intellectuel de la science économique, comme une exacte anticipation spéculative.[72]

LE CONCEPT DE L'ANTICIPATION SPECULATIVE

L'auteur a proposé le concept d'anticipation spéculative dans un article de 95 pages intitulé : *La spéculation créatrice ou le rôle essentiel de l'anticipation spéculative dans la création de la valeur économique*, publié dans les Cahiers de l'I.U.T.[73] et, sous une forme légèrement différente, sous le titre : *L'anticipation spéculative et la création de la valeur* dans la revue Direction et Gestion de l'Institut Français de Gestion[74]. Dans cette étude, il s'était efforcé de montrer le rôle essentiel de l'anticipation spéculative dans toute économie progressive et particulièrement dans l'économie de marché actuelle. Il se propose ici de préciser et d'analyser ce concept d'anticipation spéculative, élément essentiel de la psychologie économique.

Après avoir donné une définition de l'anticipation spéculative et montré son vaste champ d'action et son rôle fondamental dans la création de la valeur économique, nous la situerons par rapport à d'autres notions économiques telles que la prévision, la décision, la stratégie et la spéculation ; nous analyserons ses diverses phases et ses caractéristiques, nous envisagerons ses rapports avec les systèmes économiques et nous montrerons rapidement son rôle essentiel dans l'économie actuelle.

1 – Définition et champ d'action de l'anticipation spéculative

On entend ici par anticipation spéculative toute décision d'agent économique entraînant une intervention d'une certaine durée dans l'activité économique et, par le fait, affectant l'avenir ou même une décision immédiate, en vue d'une opération économique future, décision nécessitant, dans l'un et l'autre cas, la prise en considération des coûts et des prix, présents et futurs, fonction en économie de marché de l'évolution prévue du rapport demande solvable sur offre $\frac{Ds}{O}$.

Le cas le plus courant et le plus simple que nous retiendrons ici, comme hypothèse théorique de base, est celui d'une décision d'achat ou de production, en vue d'une vente future. Mais l'anticipation spéculative concerne aussi bien la décision d'investir ou de ne pas investir, d'emprunter ou de ne pas emprunter, d'épargner ou de ne pas épargner, de consommer ou de ne pas consommer, de travailler ou de ne pas travailler, etc. Bref, toute décision d'un agent économique s'inscrivant dans la durée. A la limite, seul l'« homo economicus » ou l'organisme économique en instance de disparition, par décès dans un cas ou par dissolution dans l'autre, n'est pas concerné par l'anticipation spéculative, encore qu'il le soit s'il prend en considération l'intérêt de ses héritiers ou le sort de son patrimoine.

En effet, comme exemple d'anticipation spéculative nécessaire à une action économique s'inscrivant dans le temps, on peut citer la décision d'emprunter ou non, dont la rentabilité – toute chose étant égale par ailleurs – sera affectée par le rythme de l'inflation, la décision de produire dont la rentabilité – toute chose étant égale par ailleurs – sera affectée, par l'évolution des coûts de production, prix des matières premières, des produits intermédiaires, de l'argent, taux du salaire. etc. Dans ce cas d'action économique durable, l'incertitude donc l'anticipation portent sur les coûts futurs.

Dans le cas d'une décision actuelle et finie en vue d'une opération future, l'incertitude et donc l'anticipation portent sur les prix futurs ; c'est le cas courant du commerce, du stockage et de la spéculation.

Dans le cas d'une décision d'investir ou, plus généralement, de produire en vue d'une opération future (vente le plus souvent), l'anticipation spéculative est double : elle porte à la fois sur les futurs coûts de production et sur les futurs prix de vente. Le concept d'anticipation spéculative intègre quatre notions dont elle fait la synthèse : la notion de décision économique, la notion de l'appréhension du futur (prévision, prospective), la notion de gain (profit) ou de perte monétaire consécutive à l'équilibre du marché tant en amont (coût) qu'en aval (recettes) ; et la notion d'aléa (risque financier).

Pour simplifier, nous retiendrons dans notre schéma théorique le cas le plus simple d'une décision actuelle et finie en vue d'une opération future qui est l'achat pour revendre des opérations commerciales ou spéculatives. Mais il faut bien avoir présent à l'esprit que toute opération économique, s'inscrivant dans la durée ou réalisée en vue d'une opération future, est matière à anticipation spéculative. de telle sorte que l'activité économique. la vie économique, est faite d'une multitude d'anticipations spéculatives, conscientes ou non, qui s'entrecroisent et s'enchevêtrent et, dans l'économie de marché, constituent le marché même, comme le montre le cas exemplaire de la bourse. Voici sur ce sujet ce qu'écrit Pierre Massé à propos du plan l'Etat, mais qui est aussi valable en ce qui concerne les décisions des entreprises et de tous les agents économiques : « ... *l'ensemble des décisions qui joignent le présent au futur, le plan en fait, est en réalité une suite de décisions échelonnées dans le temps et entremêlées avec l'apparition d'aléas, eux-mêmes successifs. C'est cette séquence alternée qui met aux prises l'action aléatoire de l'environnement et l'action contre aléatoire de l'homme. En d'autres termes, si le temps joue contre nous en nous opposant la surprise, il joue simultanément pour nous en nous permettant la parade et la riposte.* »[3]

2 – Le rôle fondamental de l'anticipation spéculative dans la création de la valeur économique

Nous éloignant des économistes classiques et marxistes et nous rapprochant des marginalistes, nous dénions toute validité scientifique à la valeur-travail et nous pensons que c'est la dernière unité échangée d'un bien qui détermine son prix, c'est-à-dire sa valeur économique.

D'une façon générale, il y aura création de valeur économique chaque fois que l'on rapprochera l'offre réelle de la demande potentielle, ou l'offre "ex post" de la demande "ex ante". Et ceci quelque soit le moyen : par la production de biens et services (activité industrielle ou agricole), mais tout autant par le transport dans l'espace et l'arbitrage, le stockage dans le temps et la spéculation proprement dite ou la distribution (activité commerciale). Toutes ces activités, du fait qu'elles se déroulent dans le temps et dans l'espace, supposent comme élément essentiel l'anticipation spéculative de la demande et de l'offre, du rapport $\frac{Ds}{O}$.

Ce qui est déterminant, pour qu'il y ait création de valeur, c'est la mise à disposition d'une offre face à la demande. Contrairement à ce que beaucoup pensent, même parmi les économistes, il importe assez peu, pour qu'il y ait création de valeur, qu'il y ait ou non production. La mise à disposition de produits bruts ou de produits déjà existants depuis longtemps, mais non utilisés jusqu'ici (antiquités conservées dans des greniers par exemple), est aussi créatrice de valeur que la mise a disposition de la demande par la production, alors que la production elle-même, sans qu'il y ait une demande pour l'absorber, ne crée aucune valeur et se traduit simplement par une perte, équivalente à son coût (exemple des invendus dans le commerce ou des « bouillons » dans le journalisme). La Hollande a fait sa fortune par le commerce de commission et non par l'industrie. Un pays de bons spéculateurs sera, à juste titre, toujours plus riche parce que plus créateur de valeur qu'un pays de producteurs peu soucieux de débouchés. Historiquement d'ailleurs, c'est par le commerce et non par l'industrie que le développement économique s'est amorcé : en Italie, à Venise, dans les villes de la Hanse, dans les foires de Champagne et avec les grandes découvertes espagnoles et portugaises.

En d'autres termes, on pourrait dire qu'en économie, et particulièrement en économie de marché, il y a un effet de domination de la demande solvable et, partant, en matière d'économie de l'entreprise, de l'activité marketing.

L'existence d'un profit normal sur un marché est la preuve que l'offre correspond à une demande réelle solvable. On entend par profit normal la rémunération normale du risque de l'anticipation spéculative effectuée par l'entrepreneur, profit qui lui permet de réaliser ensuite des investissements, soit par autofinancement, soit en faisant appel avec succès au marché des capitaux (ce qui est le cas lorsque l'entreprise distribue des dividendes). Cette situation permet à l'économie de progresser en autorisant des investissements nets.

Inversement, l'inexistence d'un profit est le signe que l'offre ne correspond pas une demande réelle solvable, soit qu'il n'y ait pas de demande réelle pour absorber l'offre (bien peu apprécié, démodé, surabondant, de mauvaise qualité, etc.), soit qu'il y ait une demande réelle mais que celle-ci ne soit pas solvable (par exemple demande alimentaire en provenance de pays du tiers-monde non producteurs de pétrole). Dans ce cas-là, l'économie ne peut progresser faute d'investissements nets privés sauf à obtenir des subventions de l'Etat ou à réaliser des investissements nets publics, mais alors on sort de la pure économie de marché, pour entrer dans le domaine de l'économie mixte semi-collectivisée. Et si la situation de l'entreprise ou du secteur n'est pas équilibrée mais présente des pertes (situation de la sidérurgie française au cours de ces dix dernières années) non seulement l'économie ne peut progresser, mais elle régresse du fait d'une perte de valeur égale à l'excédent des coûts sur les recettes.

C'est donc bien à tort que l'opinion publique méprise le profit et le tient en suspicion. Et c'est à juste titre que le chancelier Helmut Schmidt a pu dire : « *les profits d'aujourd'hui sont les investissements de demain et les emplois d'après-demain.* »

3 – Le concept de l'anticipation spéculative par rapport aux autres concepts économiques voisins

Nous pensons que le concept d'anticipation spéculative est nouveau mais qu'il se trouvait implicitement et partiellement contenu dans des concepts économiques voisins tels que prévision, décision, stratégie et spéculation, par rapport auxquels il convient de le situer.

3.1. L'anticipation spéculative et la prévision

La réalité de l'anticipation spéculative est souvent partiellement exprimée sous le terme de prévision des ventes ou de prévision du marché, élément essentiel de l'activité marketing, mais elle diffère de la prévision à plusieurs égards.

D'abord, le terme prévision fait croire abusivement à une possibilité d'anticiper scientifiquement l'avenir en faisant disparaître toute incertitude, tout aléa. Et les responsables de la prévision savent bien que cela est impossible, qui disent toujours qu'ils font de la prévision et non de la prophétie. Ils s'abritent derrière l'alibi de leurs hypothèses de base et de la clause « *toutes choses étant égales par ailleurs* ». Lorsqu'ils se trompent, ils n'ont pas commis d'erreur de prévision mais la réalité a différé des hypothèses de base qu'ils avaient retenues. Le malheur est que les variables de nature à interférer sur la situation économique, objet de leur prévision, sont quasi infinies. Et pourtant, ce qui importe aux décideurs, aux agents qui vont intervenir dans l'activité économique, ce n'est pas la prévision mais bel et bien la prophétie : peu leur importe que l'erreur provienne de la non réalisation de l'une des hypothèses de base, ce qu'il leur faut, c'est que les faits soient conformes à ce qui avait été prévu, sinon leur décision relative à l'offre sera erronée.

Les aléas de la prévision paraissent irréductibles. Par exemple, bien malin le prévisionniste capable de prévoir l'évolution du prix relatif du pétrole d'ici deux ans : la surabondance qui semble se manifester en juillet 1981 et provoque une détente des prix du brut exprimé en dollars peut fort bien laisser place à un nouvel accès de pénurie et à une nouvelle flambée des prix, provoqués soit par la reprise économique, soit par la réduction concertée de la production, soit par un nouveau conflit politique au Moyen-Orient, soit par des fluctuations du dollar, etc., aussi bien qu'une surabondance accrue consécutive aux économies d'énergie, à de nouvelles découvertes, au retour au calme politique des grands producteurs tels l'Irak et l'Iran, l'intervention accélérée de nouvelles sources d'énergie, etc., etc. Les variables susceptibles d'agir sur le prix du pétrole facteur qui conditionne tout l'équilibre économique mondial sont quasi infinies, donc impossibles à recenser et à prendre en compte, et leur résultante impossible à calculer avec certitude. Tout au plus, peut-on se livrer à ce que les anglo-saxons appellent des *guesstimates* et les Français des « risques calculés ».

On se retrouve face à l'anticipation spéculative, prévision aussi scientifique et rigoureuse soit-elle, ne parvenant qu'à réduire la marge d'incertitude, jamais à la faire disparaître.[75]

Pour améliorer la prévision, les économètres utilisent des modèles de plus en plus sophistiqués et de plus en plus lourds. Si Albert Merlin a pu dire, dans son intervention au cours du récent Colloque de l'Association Française de Science Economique (A.F.S.E.) de juin 1981 que « *l'entreprise raisonne toujours à partir de modèles implicites ou explicites* » et qu'il était « *préférable que ces modèles soient explicites pour éviter les divergences des décisions, voire les incohérences* » et si cette affirmation peut être étendue à tout agent économique, il est bien évident que l'anticipation spéculative repose le plus souvent sur des modèles implicites et fait même parfois appel à l'expérience, au flair, à l'intuition, plus qu'au raisonnement et à la prévision scientifique. Cette pratique s'explique d'abord par le manque de moyen de beaucoup d'agents économiques (consommateurs, P.M.E., artisans, épargnants, etc.); on peut dire à cet égard que l'anticipation spéculative est la prévision du pauvre. Elle s'explique aussi par la nécessité de prendre très rapidement un nombre multiple de décisions impliquant des anticipations spéculatives. L'anticipation spéculative est alors la prévision des décideurs pressés. En effet, la prévision porte sur un horizon ponctuel et prédéterminé tandis que les anticipations spéculatives des agents économiques visent des horizons multiples et continus comme la vie économique elle-même qui ne s'arrête pas: souvent les entreprises s'efforcent de faire face à cette nécessité en effectuant des prévisions récurrentes (*revolving*), maintenant un éclairage sur un horizon économique à distance constante. Enfin, la prévision porte en général sur l'environnement de l'entreprise ou de l'agent économique en général, représenté pour les besoins de la cause sous forme d'une photographie statique au moment $t + x$ (ou t représente la date où son faites les prévisions et x la durée qui sépare celle-ci de la date sur laquelle portent les prévisions), alors que l'activité économique se situe dans un espace temporel continu et dynamique fait de la séquence des actions et des réactions de ses concurrents, de l'environnement et de lui-même, et intégrant des éléments psychologiques, tactiques et stratégiques. C'est à juste titre que Von Neuman et Morgenstern ont, pour rendre compte de cette réalité, assimilé l'activité économique à un jeu dans leur *Théorie des jeux*.[76] L'activité économique ressemble plus, en effet, à une partie de tennis, de boxe ou de football, où le joueur répond à chaque coup de l'adversaire en vue de survivre et de gagner, participant ainsi à la création de la réalité de la vie économique, qu'à une vision futuriste d'un avenir prédéterminé.

3.2. L'anticipation spéculative et la décision

La prévision est seulement préparatoire à la décision et c'est la décision (de produire ou non, d'acheter ou non, de stocker ou non, de transporter ou non, de vendre ou non) qui modifiera l'équilibre $\frac{Ds}{O}$, sera créatrice de valeur et aura son impact sur les quantités échangées et les prix. La prévision, si elle ne débouche pas sur une décision, c'est-à-dire sur une action économique, demeure sans effet; et le risque inhérent à cette décision dans l'appréhension du futur est l'élément irréductible et essentiel, générateur de tous les gains (création de valeur) ou de toutes les pertes (destruction de valeur).

On pourrait dire que l'anticipation spéculative est une synthèse de la prévision et de la décision.

Il convient de remarquer que la plupart des décisions des agents économiques comportent une appréhension explicite ou implicite du futur et donc une, voire plusieurs anticipations spéculatives. Par exemple, la décision d'un chef d'entreprise de licencier un collaborateur ou de fermer une usine suppose que les services rendus par ce collaborateur au cours des prochaines années ou la valeur de la production de cette usine sont inférieurs au coût respectif de l'un et de l'autre. Même des décisions tournées vers le passé, comme l'établissement d'un bilan ou d'un compte d'exploitation, ne sont pas sans incidence sur l'avenir dans la mesure où ils conditionneront l'image de l'entreprise dans l'opinion, ses possibilités de faire appel aux banques et au marché financier, etc. Si bien qu'il est sans doute plus difficile de trouver des décisions économiques dénuées de toute anticipation spéculative que d'en trouver en comportant.

3.3. L'anticipation spéculative et la stratégie

La vie économique étant faite d'une succession entremêlée, d'une multitude d'anticipations spéculatives des divers agents économiques, l'anticipation spéculative nous apparaît comme un élément constitutif de la stratégie d'un agent économique dans la mesure où celle-ci pourrait se définir comme une séquence cohérente d'anticipations spéculatives : la stratégie est la chaîne dont les anticipations spéculatives sont les anneaux.

Mais ce problème de la cohérence est moins simple qu'il n'y paraît. Il nous semble nécessaire de distinguer la stratégie « ex ante » et la stratégie « ex post » d'un agent économique, l'une coïncidant rarement avec l'autre. En effet, un agent économique, une entreprise par exemple, élabore une certaine stratégie ayant sa cohérence qu'elle va s'efforcer de mettre en œuvre. Au fur et à mesure que cette stratégie se déroule dans le temps, il s'avère que certaines des anticipations spéculatives qui la composent se révèlent inexactes, même l'environnement économique général change et surtout les autres agents économiques réagissent à ces changements et à la stratégie de notre entreprise, de telle sorte que celle-ci se doit, en cours de route, de faire de nouvelles anticipations spéculatives mieux ajustées à la réalité qui se révèle progressivement, aboutissant à une stratégie modifiée comportant une nouvelle cohérence. Ainsi, la stratégie « ex post » est-elle différente de la stratégie « ex ante » et la cohérence stratégique qui n'est pas toujours évidente est en général « a posteriori » œuvre d'historien voire de fiction.

3.4. L'anticipation spéculative et la spéculation

Le caractère irréductible de l'aléa que comporte l'anticipation spéculative comme le risque assumé par l'agent économique justifie son qualificatif de « spéculative ». En effet, l'agent économique qui prend une décision comportant une anticipation spéculative risque non seulement de ne pas voir se produire le gain aléatoire qu'il escompte du fait d'une défaillance de la demande ou d'un excès de l'offre, mais, en outre, risque de ce fait de perdre les frais qu'il a exposés de par sa décision, sous forme de prix d'achat, coût de fabrication, investissement, placement, etc.

Selon nous, on pourrait définir la spéculation au sens étroit et courant du terme comme l'appropriation par un agent économique, qu'il s'agisse d'un industriel, d'un négociant ou d'un investisseur dans l'immobilier ou à la bourse de marchandises ou de valeurs, de tout ou partie de la valeur économique créée par la mise à disposition de la demande de son offre additionnelle lorsqu'un court laps de temps sépare le moment où il a acquis le bien de celui où il le revend, étant entendu qu'entre temps une aggravation du déséquilibre $\frac{Ds}{O}$ dans le sens de la croissance de ce rapport permet un gain monétaire important. Si le laps de temps se prolonge, il n'y a plus spéculation mais seulement production pour l'industriel, commerce pour le négociant, placement pour l'investisseur. Il est bien évident que la durée ne confère pas une différence de nature entre la spéculation et les autres opérations économiques, d'autant que personne n'est capable de fixer la durée au-delà de laquelle cesse le caractère spéculatif, au sens étroit du terme, de l'opération.

Ainsi, si dans une économie stable il est facile de distinguer la spéculation des autres opérations économiques, de par son caractère exceptionnel exprimé par le terme « coup spéculatif », dans une économie de turbulence comme la nôtre, la distinction devient subtile, l'activité économique ayant tendance à s'identifier à une succession de coups spéculatifs, principalement dans le domaine de la production des matières premières, des produits bruts et intermédiaires, où la loi de l'offre et de la demande joue à plein, la valeur ajoutée n'y ayant qu'une faible part.

Pour parvenir à distinguer la spéculation de l'opération économique dans l'économie moderne, il convient selon nous de recourir à la psychologie et à la subjectivité. On dira qu'il y a opération économique lorsque celle-ci se fait en prenant en compte par l'anticipation spéculative le futur rapport $\frac{Ds}{O}$ mais sans que cette prise en compte soit la seule cause ou même la cause essentielle de l'opération, inversement, il y aura spéculation lorsque l'anticipation du futur rapport $\frac{Ds}{O}$ est la cause essentielle de l'opération.

On voit combien la distinction est subtile et combien l'activité économique est de nos jours proche de la spéculation. Cette constatation devrait suffire à rendre ses titres de noblesses à celle-ci et à la laver de toute l'opprobre dont on l'accable. La vérité est qu'une économie qui se refuse à assumer le risque spéculatif est une économie condamnée à mort dans le monde contemporain. Une économie de spéculateurs avisés sera plus prospère qu'une économie de travailleurs acharnés produisant des biens ne correspondant à aucune demande; ce dernier cas n'est pas une hypothèse d'école mais la triste réalité qui frappe les salariés des industries obsolètes (mines, sidérurgie, textile, etc.)

Il semble que l'actuel ministre de l'Economie et des Finances du présent gouvernement français, Jacques Delors, soit conscient de cette nécessité, qui déclare : *« La compétition internationale, la préparation de notre avenir industriel exigent également que les entreprises – de grande comme de petite taille – disposent d'un volume accru de capitaux à risques qui sont un élément déterminant de leur politique d'investissements et de leur capacité d'emprunt. Or, je suis frappé par le fait que, dans d'autres sociétés industrielles, on assiste, pour de multiples raisons, à une diminution dramatique des capitaux à risques. Je suis donc conscient que si l'on veut donner aux entreprises françaises la possibilité effective d'accroître leurs fonds propres et d'atteindre un sain équilibre entre ceux-ci et leur endettement, il importe que les perspectives d'évolution, dans ce domaine, soient encourageantes. En particulier, les actionnaires ont besoin d'un régime de fiscalité des actions qui soit stable. Par conséquent, si des modifications devaient être apportées au régime actuel, elles seraient concertées dans ce double esprit de maintien d'une rémunération satisfaisante et de la durée nécessaire à la réussite (...) Nous souhaitons en outre que soit amélioré le fonctionnement du marché de capitaux et donc du marché boursier (...) Nous n'oublierons pas enfin le rôle positif des capitaux étrangers dans te financement de notre développement. Nous éviterons donc les mesures gênantes pour les capitaux investis par les non-résidents. »*[77]

4 – Les phases de l'anticipation spéculative

Pour mieux analyser l'anticipation spéculative, nous allons décomposer celle-ci en ses différents éléments. On peut distinguer quatre phases dans l'anticipation spéculative :
– l'information,
– l'étude,
– la décision,
– le contrôle.

4.1. L'information

Pour réduire les risques d'une anticipation spéculative erronée, il faut recourir à l'information en simple application de l'adage *« un homme averti en vaut deux ».* L'information, en effet, en donnant comme sûres certaines hypothèses, permet d'en éliminer d'autres et de réduire le nombre et l'enjeu des anticipations spéculatives et, partant, le risque.

Aujourd'hui, le développement de la documentation statistique et l'établissement de banques de données informatisées ont accru l'information au point que se pose désormais en premier le problème de la sélection de l'information. Sans méconnaître les apports informatiques et méthodologiques dans ce domaine, il semble que ce soit encore le cerveau humain qui soit le plus apte à effectuer cette sélection, par le biais de la culture et de l'expérience, c'est pourquoi cette dernière est tellement appréciée dans le monde des affaires.

4.2. L'étude

Cette information devra être utilisée le plus souvent à l'aide de modèles de simulation pour donner une vue prospective de la demande et de l'offre dans l'avenir.

Ces études sont souvent longues et coûteuses, aussi n'y a-t-on recours que lorsque l'on dispose de vastes moyens (administrations, grandes entreprises) et lorsque l'enjeu est important (investissements lourds).

En outre, pour la plupart à fondement mathématique ou économétrique, elles ont du mal à intégrer certaines variables, notamment les variables humaines et psychologiques. Aussi, souvent le jugement et le flair d'un homme d'expérience aboutit à de meilleurs résultats, beaucoup plus rapidement et à moindre coût.

Pour ces diverses raisons, ces études sont inapplicables dans les multiples anticipations spéculatives qu'un agent économique, notamment un entrepreneur, effectue rapidement chaque jour. Ainsi, les qualités humaines d'un bon gestionnaire ou d'un homme de marketing de valeur sont irremplaçables.

4.3. La décision

Lorsque l'information et l'étude ont préparé la décision, celle-ci doit intervenir.

Si les deux premières phases peuvent donner lieu à un travail en équipe la décision doit être le fait d'un individu, une décision collective prise à la majorité manquant souvent de la pertinence et de la cohérence nécessaires.

Il importe surtout que le décideur supporte la responsabilité matérielle de sa décision, En effet, si le décideur est assuré de l'impunité, s'il utilise l'argent des autres et non ses propres deniers, il sera tenté de faire des anticipations spéculatives abusives et de prendre des risques excessifs. C'est pourquoi le système capitaliste où le décideur met en jeu son propre capital pour réaliser un gain personnel présente, du point de vue de l'efficacité, une supériorité sur tout autre système. Il est vrai que, dans les sociétés anonymes, les dirigeants mettent en jeu l'argent de leurs actionnaires. néanmoins la loi les oblige à être propriétaire d'un minimum d'actions et, de toute façon, leur responsabilité paraît pouvoir être plus facilement mise en cause que dans l'administration et les systèmes de gestion collectiviste où la règle est la dilution de la responsabilité. Boussac a perdu sa fortune personnelle au cours de la faillite de son groupe. Les anciens dirigeants de la sidérurgie ont perdu leur présidence. Aucun fonctionnaire ni aucun élu n'a rien perdu dans la construction des abattoirs de la Villette. Et qui est capable de dire quels sont les responsables du fiasco économique que représente Concorde ? Le président de la SNIAS de l'époque, Jacques Chirac, Georges

Pompidou ou même Charles de Gaulle ? Bien malin qui le dira. En tout cas, aucun d'entre eux n'en a supporté la responsabilité, tout l'art des puissants étant de « faire porter le chapeau » par des « lampistes », Il est bien évident que l'on est plus et différemment motivé lorsque l'on gère son propre argent que quand on guère celui des autres. Les économistes de *Public Choice*[15] ont bien mis en lumière que les décisions publiques sont prises par des personnes agissant toujours selon leur conception propre et dans leur intérêt médiat. sinon immédiat.

4.4. Le contrôle

Il appartient au décideur d'étudier et de contrôler le résultat de sa décision pour apprécier son bien-fondé, l'exactitude ou non de son anticipation, ce contrôle servant de base et d'expérience pour de nouvelles anticipations spéculatives.

4.5. L'anticipation spéculative empirique ou réflexe

L'anticipation spéculative n'est ainsi décomposée en quatre phases que lorsque l'enjeu le justifie et les moyens et le temps le permettent.

Mais la plupart des anticipations spéculatives ont de faibles enjeux, sont prises dans la hâte fébrile de la vie des affaires par des agents économiques disposant de peu de moyens et de peu de temps, Si bien que les quatre phases se télescopent en un syncrétisme que rend possible l'expérience. Et l'anticipation spéculative de l'homme d'affaire pressé ressemble au réflexe d'un joueur de tennis qui, d'après le geste de son adversaire, déduit l'endroit où sa balle va arriver, se place en conséquence et la retourne correctement, tout cela d'instinct et en quelques secondes grâce à l'expérience. Les grands hommes d'affaires parviennent à traiter la plupart des problèmes par des anticipations spéculatives empiriques voire réflexe, ce qui n'exclut pas, lorsqu'un enjeu considérable est en cause, qu'ils prennent le temps de préparer leur décision par l'information et l'étude, comme précédemment indiqué.

5 – Les caractéristiques d'une anticipation spéculative optimale

Le critère d'une bonne anticipation spéculative est son exactitude, son efficacité, son résultat, matérialisés par la création de valeur économique, c'est-à-dire par le profit.

Quelles sont les qualités que doit posséder l'acteur de la vie économique pour réaliser de bonnes anticipations spéculatives?

C'est, à nos yeux, le dynamisme, l'information, l'expérience, l'intuition, la souplesse, la rapidité, le goût du risque, le sens des responsabilités, sans parler bien évidemment de l'intelligence clairvoyante.

5.1. Le dynamisme

Dans un monde en perpétuel changement. le dynamisme est indispensable. L'attentisme et la routine conduisent désormais irrémédiablement à l'échec. Il ne faut pas hésiter à prendre les décisions qui s'imposent et prépareront l'avenir.

C'est donc à juste titre que Keynes et Schumpeter voient dans l'entrepreneur un *« homme sanguin »*.

Mais dynamisme ne veut pas dire agitation et une certaine prudence avisée doit ici contrôler l'impulsion des « fonceurs ».

5.2. L'information

Il est certain que l'information, étayée par la culture, la compétence et l'étude, permet d'améliorer beaucoup les anticipations spéculatives.

D'une façon générale, les entreprises françaises ne consacrent pas assez d'argent, de moyens et d'efforts dans ce domaine alors que le développement de l'information sur les marchés mondiaux est l'un des principaux atouts de l'exportation japonaise. Les entreprises françaises croient encore que la production est l'alpha et l'oméga du succès alors que nous en sommes à l'ère du marketing : il ne sert à rien de produire un bien de haute qualité si celui-ci n'est pas suffisamment demandé ou si l'offre est excédentaire (cas des textiles, des aciers, etc.).

5.3. L'expérience

Du fait que la plupart des anticipations spéculatives ne donnent pas lieu à une étude systématique l'expérience tend à y suppléer. Il est certain qu'un homme de marketing expérimenté est très précieux de par sa connaissance du marché dont il suit tous les mouvements qu'il finit par sentir de telle sorte qu'« il vit le marché ». Dans ce domaine pratique, l'étude est certes utile mais ne peut remplacer l'expérience car nombreuses sont les théories, les méthodes et les modèles qui se révèlent inapplicables dans la vie pratique des entreprises.

5.4. L'intuition

Dans la mesure où l'anticipation spéculative doit faire face à un aléa irréductible aux méthodes scientifiques de prévision, elle laisse une large place à l'intuition et au flair. Et ce n'est pas un hasard si certains hommes réussissent toujours (par exemple, en France, le baron Bich) et d'autres accumulent les échecs.

5.5. La souplesse

La turbulence de l'économie actuelle exige une grande souplesse et facilité d'adaptation. C'est pourquoi on préférera les solutions convertibles, polyvalentes, laissant place à des solutions de rechange, à celles qui engagent définitivement l'avenir. Le succès de l'atelier flexible dans le domaine de la production est un exemple de cette nécessité. En stratégie économique comme en stratégie militaire, il faut, comme disait Napoléon, *« avoir plusieurs fers au feu à la fois »*.

5.6. La rapidité

L'adaptation aux faits, c'est d'abord la rapidité des décisions qui la confère. Et, dans ce domaine, les petites entreprises ont un avantage considérable sur les grandes et sur les administrations, lourdes machines lentes à la décision. C'est certainement l'une des raisons pour laquelle *« small is beautiful »*. Encore faut-il éviter toute décision précipitée mal étudiée et improvisée.

5.7. Le goût du risque

Le pari contenu dans toute anticipation spéculative exige un certain goût du risque. Il en est de la vie économique comme d'un jeu, non de pur hasard comme la roulette, mais où la chance intervient néanmoins comme le poker ou plutôt le bridge. Celui qui recherche avant tout la sécurité conférée par le statut de petit salarié ou fonctionnaire devra renoncer aux postes de décision. François Perroux écrit : *« Dans un univers où les plus grands risques sont à l'affût, la peur ou la pusillanimité promet la débâcle. »*[75]

Mais pour que ce goût du risque existe, il faut qu'il soit stimulé par l'espoir d'un gain et que ce gain soit assez important pour justifier le risque pris. Il convient à cet égard de se méfier des fiscalités excessives, pénalisantes et décourageantes. Lorsque le fisc vous confisque 85 % de votre gain, il devient bien rare que « *le jeu en vaille la chandelle* ». De même, la loi sur les plus-value dans la mesure où elle frappe les gains en permettant de déduire les pertes, joue comme une pénalité pour les bonnes anticipations spéculatives et comme une prime pour les mauvaises ; c'est le type même de la loi qui fausse le jeu de l'anticipation spéculative créatrice. D'une façon générale, les impôts de ce type qui frappent les échanges et les transactions, découragent et freinent celles-ci, c'est-à-dire l'activité économique. De ce point de vue, une imposition sur le capital incitant les détenteurs de celui-ci à le rentabiliser au maximum serait bien préférable à un impôt sur la plus-value ou le revenu de ce capital.

Le malheur est que, dans la mentalité française actuelle, le souci de la sécurité, matérialisé par les progrès de l'Etat providence et du socialisme, déclaré ou rampant, se trouve beaucoup plus répandu que le goût du risque : on attend plus de l'Etat que de l'initiative individuelle, de l'assistance et de la revendication d'un corporatisme généralisé « tous azimuts » que du travail et du profit.[64]

5.8. Le sens des responsabilités

Pour que l'anticipation spéculative fonctionne dans le sens de l'intérêt général, il est très important que les décideurs soient considérés comme pleinement responsables de leurs anticipations.

En fait, on assiste, dans les administrations comme dans les entreprises, les grandes en particulier, à une fuite devant les responsabilités, tout l'art consistant soit à atermoyer de telle sorte que le temps qui passe rende la décision inutile, soit à faire prendre les décisions risquées aux autres, soit à avoir l'air de prendre une décision tout en n'en prenant pas afin que, si l'anticipation spéculative s'avère erronée et si les choses tournent mal, rien ne puisse vous être reproché.

Il n'en demeure pas moins que le grand homme d'affaires est celui qui sait prendre ses responsabilités après une saine appréciation des problèmes.

6 – L'anticipation spéculative et les systèmes économiques

En schématisant, on peut considérer qu'il y a trois systèmes économiques : le système libéral où les anticipations spéculatives sont décentralisées ; le système collectiviste où les anticipations spéculatives sont centralisées ; et le système de l'économie mixte où les anticipations spéculatives sont tantôt décentralisées tantôt centralisées.

6.1. L'économie libérale ou de marché et les anticipations spéculatives décentralises

Dans l'économie libérale, c'est le marché qui fait la loi et qui oriente l'activité économique par le jeu des prix. Dans ce système reposant sur la propriété privée des moyens de production (système capitaliste), les anticipations spéculatives sont décentralisées au niveau des chefs d'entreprises, des consommateurs et des épargnants, qui obéissent au mécanisme des prix, et les offreurs recourent, pour analyser le marché, à la méthode du marketing. Les libéraux, néolibéraux et marginalistes ont bien mis en valeur les mérites de ce système qui peuvent se résumer à quatre :

– l'activité économique est orientée par la demande des consommateurs dont les achats correspondent à autant de suffrages en faveur des biens offerts ;

– l'économie y est transparente et les prix de vente sont « vrais » en ce sens qu'ils correspondent à une demande solvable réelle (« *demande effective* » de Keynes) ;

– si la concurrence est parfaite, les prix tendent à se ramener aux coûts de telle sorte que le plus grand nombre d'acheteurs et d'offreurs se trouve à la fois satisfait, que l'intérêt des particuliers correspond à l'intérêt général et que la rentabilité maximale se trouve atteinte ;

– à ces trois vertus traditionnelles, nous en ajouterions volontiers une quatrième : l'adaptabilité, la rapidité et la souplesse, indispensables dans une économie troublée comme celle d'aujourd'hui.

Les inconvénients du système libéral se situent au double niveau de l'équité et de l'efficacité.

Au plan de l'équité, on a reproché au système libéral d'entraîner l'accumulation capitaliste de telle sorte que les riches deviennent de plus en plus riches. La critique, marxiste notamment, repose en fait sur cette réalité beaucoup plus que sur la théorie de la plus-value qui, à notre avis, n'a aucune réalité économique.

Sur le plan de l'efficacité, certains économistes[29] ont fait valoir que la concurrence parfaite était une exception, la règle étant la concurrence imparfaite, si bien que les prix ne sont pas ramenés au niveau des coûts et que l'intérêt particulier ne coïncide plus avec l'intérêt général. Pour pertinentes que soient ces critiques, les avantages de la concurrence et du marché sont tels, quant à l'orientation de la production en fonction de la demande et quant à la recherche de la rentabilité maximale, qu'une concurrence aussi imparfaite soit-elle est préférable à pas de concurrence du tout, à tel point que les économistes russes se sont ingéniés à reconstituer les conditions et les stimulants de l'économie de marché.[32]

Il n'en demeure pas moins qu'il est des domaines où la rentabilité et la demande solvable ne peuvent être la seule règle, au risque d'aboutir à une inégalité choquante ou à la destruction de l'environnement naturel, c'est pourquoi, même dans les pays les plus libéraux, l'Etat a pris en charge certains services publics tels que la police, l'éducation, la santé, la protection de la nature, etc.

En outre, avec l'importance croissante des investissements (caractère de plus en plus capitalistique de l'économie) et la durée toujours accrue de leur mise en œuvre, la loi du marché, des prix et de la rentabilité ne suffit plus à orienter l'activité économique pour les productions les plus longues, les plus coûteuses et les plus sophistiquées, d'où l'intervention de l'Etat dans les domaines de la production aéronautique, spatiale, informatique, nucléaire, etc., qui nécessitent des capitaux considérables et des anticipations spéculatives à long terme centralisées.

6.2. L'économie collectiviste ou étatique et les anticipations spéculatives centralisées

Dans l'économie collectiviste, les anticipations spéculatives sont centralisées au niveau de l'Etat (en URSS par le Gossplan), la méthode utilisée étant la planification autoritaire dont le rôle correspond à celui du marketing dans l'économie de marché.

Le système devrait permettre un parfait contrôle de l'économie et, à la limite, faire disparaître l'aspect spéculatif de l'anticipation. Et, en fait, le système collectiviste a obtenu des succès dans le domaine de l'armement, des industries de base ou de la recherche spatiale, domaines étroitement dépendants de l'Etat. Par contre, il a subi des échecs partout où il existe un important degré de liberté échappant au contrôle total de l'Etat : c'est le cas de l'agriculture, avec les aléas atmosphériques, celui des biens de consommation, avec la diversification des goûts des consommateurs, qui n'orientent plus la production par le jeu des prix comme dans l'économie de marché mais la sanctionnent cependant par l'achat ou le refus de consommer (on pourrait dire que la consommation-suffrage de l'économie de marché fait place ici à la consommation-référendum ou plébiscite, la volonté des consommateurs ne pouvant être complètement éliminée), celui des échanges extérieurs avec l'intervention croissante du marché mondial qui repose sur l'économie de marché.

Et l'on constate que plus l'économie soviétique évolue vers une économie de consommation et s'ouvre sur l'extérieur, plus elle a du mal à planifier et plus le caractère spéculatif de ses anticipations s'accuse.

Enfin, le caractère de plus en plus troublé et turbulent de l'environnement économique rend les anticipations de la planification de plus en plus difficiles et aléatoires. A cet égard, on peut penser que ce n'est pas sans malice que les Mitterrandistes ont confié à Michel Rocard le Ministère de la Planification où il aura fort à faire pour anticiper l'avenir.

6.3. L'économie mixte et les anticipations spéculatives tantôt décentralisées, tantôt centralisées

Les mérites respectifs des anticipations décentralisées et centralisées ont conduit les économies de type capitaliste vers les systèmes d'économie mixte dont le modèle pourrait être la planification souple ou indicative, à la Française. Dès lors, se pose le problème des domaines respectifs des unes et des autres et de la frontière qui les sépare.

Dans les systèmes qui veulent bénéficier au maximum des avantages de l'économie de marché, les anticipations décentralisées doivent être la règle et les anticipations centralisées (celles que François Perroux classent parmi les macro-décisions faisant intervenir la contrainte) l'exception. En effet, les anticipations centralisées restreignent le domaine de l'économie de marché et créent des distorsions pour la concurrence, génératrices de rentes qui ne correspondent pas nécessairement à des créations de valeur économique. En outre, si le profit est rendu trop difficile ou confisqué par une redistribution excessive, les décideurs ne prendront pas le risque de se livrer à des anticipations spéculatives.

Le domaine des anticipations centralisées sera limité aux services publics, à la défense des faibles (assistance) et de la nature (écologie, aménagement du territoire) et aux secteurs monopolistiques ou lourds nécessitant des investissements considérables et à très long terme (aérospatiale, nucléaire, informatique, etc.) qui sont souvent ceux des industries de pointe.

Mais la tentation est grande dans les démocraties, par le jeu de la recherche de la sécurité du plus grand nombre d'étendre le champ des anticipations centralisées, c'est le processus du développement au cours de ces dernières décennies de l'Etat-providence ou du socialisme rampant (*creeping socialism*). Il faut résister à cette tentation et bien mettre en garde les électeurs des dangers auxquels ils exposent l'économie. Il faut surtout que les anticipations centralisées soient réservées à faciliter et non à freiner l'avènement du futur : c'est ainsi qu'elles sont légitimes pour développer les industries de pointe, mais inacceptables lorsqu'elles ont pour objet de maintenir en vie les « canards boiteux » pour lesquels les syndicats patronaux, mais plus encore ouvriers, demandant l'intervention de l'Etat. Ici, les conservateurs ne sont pas toujours ceux que l'on croit et le corporatisme se manifeste en faveur d'une politique à courte vue aux effets pervers et malthusiens. Le critère de l'interventionnisme étatique nous paraît être le sens dans lequel il joue : il est salutaire s'il prépare et accélère l'avènement de l'économie de l'avenir, il est mauvais et à proscrire chaque fois qu'il s'efforce de maintenir le passé d'empêcher les adaptations et de freiner l'évolution.

7 – Le rôle croissant de l'évolution spéculative dans l'économie actuelle

Les transformations qu'ont subis, ces dernières décennies, l'espace et le temps économiques, ont accru considérablement le rôle de l'anticipation spéculative.

L'espace économique est aujourd'hui caractérisé par la concentration des entreprises et l'ampleur des investissements, l'industrialisation du tiers-monde et l'ouverture sur l'économie mondiale, tous phénomènes qui ont pour effet d'accroître les enjeux et les aléas des anticipations.

Le temps économique actuel est caractérisé par l'accélération du progrès économique et technique et la longue durée des investissements, la saturation des besoins des consommateurs des pays industrialisés et la turbulence de l'environnement, facteurs qui eux aussi concourent à accroître les enjeux et les aléas des anticipations.

Ce n'est pas un hasard si la planification soviétique et la planification française, l'une comme l'autre, sont devenues de plus en plus difficiles au cours de ces dernières années, principalement depuis 1974, et les turbulences provoquées par les hausses brutales et intempestives du prix du pétrole, à tel point que le 8ᵉ plan français ne se risquait même plus à fixer des objectifs chiffrés.

Face à l'ouverture sur l'économie mondiale et aux turbulences de l'environnement, la tentation est grande pour les planificateurs de fermer l'économie nationale par des barrières protectionnistes, de l'isoler pour mieux la contrôler, mais le risque est alors à l'abri des vents et des courants roboratifs du grand large, d'en faire une mare stagnante. Si le protectionnisme peut se justifier pour un pays en voie de développement et d'industrialisation, comme l'a montré en son temps Frédéric List, pour un pays industrialisé, c'est un réflexe de repli sur soi-même et un aveu de défaite et d'impuissance face au défi de la concurrence extérieure.

L'ECONOMIE DU DON DE DIEU

Feuerbach avait partiellement raison en ce sens que, dans la civilisation moderne, l'économie est la variable déterminante, le fondement sur le quel les évènements socialo-politico-historiques ne sont que superstructures secondaires et largement dépendantes de la situation économique. D'où l'importance de ce qui fait la « valeur économique ».

Loin de venir du travail, comme le croyaient les économistes classiques anglais et après eux Marx, la valeur économique provient de la satisfaction d'une demande solvable par une offre disponible, ainsi que l'ont démontré les économistes marginalistes.

La croissance économique provient de l'aptitude de l'offre à anticiper cette demande par le phénomène de « l'anticipation spéculative ». Cette anticipation est difficile et aléatoire. C'est en effet la demande nouvelle et son anticipation par l'offre qui constituent la croissance économique et font progresser le fondement économique de notre société.

En effet, les prix des biens et des services provenant des demandes nouvelles à satisfaire sont particulièrement élevés aussi longtemps que l'offre est insuffisante pour y parvenir et laisse la place à des positions monopolistiques des offreurs qui les ont anticipées et bénéficient d'un superprofit temporaire. Ces situations monopolistiques, par le biais des prix élevés consécutifs à l'excès de

133

la demande par rapport à l'offre, auront tôt fait d'attirer des offres nouvelles, soucieuses de profiter du superprofit qu'elles feront disparaître par l'abaissement des prix, dû à l'accroissement de l'offre qu'elles apportent pour le plus grand bénéfice des consommateurs. Et ainsi le progrès économique s'étend-il à toute l'économie.

Mais l'anticipation de la demande est une opération délicate. Il n'est que de voir les divagations erronées des ouvrages, livres ou films, de science-fiction. La prospective bien conduite peut aider à l'anticipation de la demande, mais ne parvient pas à l'éclairer totalement, loin de là, de telle sorte que l'anticipation spéculative repose largement sur un pari sur l'avenir.

Or, comme le dit la sagesse des nations, l'avenir appartient à Dieu, de telle sorte que l'on peut dire qu'une bonne anticipation spéculative est un don de Dieu et en paraphrasant Ambroise Paré « Je l'ai soigné, Dieu l'a guéri », « J'ai produit, Dieu a permis que ma production trouve des débouchés bénéfiques », qui ne sont jamais assurés au départ. Pour qu'il y ait création de la valeur économique, c'est-à-dire création de richesse, il faut qu'intervienne la bénédiction de Dieu, conception qui évoque celle des protestants anglo-saxons, tant décriée, qui voyaient dans leur réussite économique et leur enrichissement l'effet et le signe de la bénédiction de Dieu.

Comment les différents modèles économiques contemporains répondent-ils à ces dons divins ? De façon très inégale, car ils sont plus ou moins aptes à le faire.

D'abord, le système économique soviétique complètement déconnecté du libre marché et totalement planifié n'a montré aucune aptitude à y répondre, de telle sorte qu'il s'est asphyxié lui-même, au point de disparaître et de laisser place à un capitalisme particulièrement désordonné, mais sans doute plus ouvert aux opportunités providentielles.

Le reste de l'économie occidentale se réfère, mais de façon inégale, à l'économie de marché. On peut distinguer le capitalisme continental et le capitalisme anglo-saxon.

La France offre du premier un modèle quasi caricatural. Le journal *Le Monde* a récemment titré un article : « *Le modèle social français à bout de souffle* ». Des économistes avaient depuis longtemps tiré le signal d'alarme, ainsi notamment Madame Béatrice Majnoni D'Intignano dans un article intitulé : « *L'usine à chômeurs* ».

Le rôle du chef d'entreprise est de combiner les facteurs de production (capital et travail) pour produire. Il ne peut plus jouer convenablement son rôle si l'un des facteurs (le travail) est bloqué de telle sorte qu'il ne puisse plus le doser comme il convient. A cet égard, la loi sur les 35 heures est la mesure la plus nuisible et antiéconomique que l'on puisse imaginer, sans parler des distorsions de concurrence qu'elle provoque et de son coût pour les finances publiques. A cela s'ajoute un droit du travail tatillon et d'un autre âge, des prélèvements obligatoires records, une administration et des services publics pléthoriques et à statut rigide et privilégié (garantie de l'emploi et retraite à 55, voire 50 ans à la SNCF ce qui ne l'empêche pas de recourir à la grève de façon quasi-endémique), des syndicats de salariés farouchement conservateurs et l'on comprendra pourquoi l'économie française cumule un chômage record et une croissance très réduite.

Face à cette situation catastrophique, sans parler du déficit budgétaire et de la dette croissante, le gouvernement s'efforce, malgré l'opposition politico-syndicale et la diabolisation dans l'opinion du libéralisme par la gauche, de faire des brèches vers la « lumière et l'oxygène » : ainsi de ce nouveau contrat d'embauche donnant une marge de liberté aux employeurs ; mais son domaine étant limité aux entreprises de moins de 20 salariés, il ne s'agit même pas d'une fenêtre mais d'un soupirail.

Le président Chirac a gravement tort de considérer que le modèle anglais est inapproprié à la France et, s'il veut maintenir à tout prix le modèle social français, il va vers le blocage économique générateur d'un retard irrattrapable sur nos concurrents et notamment ceux qui pratiquent le modèle anglo-saxon.

Ainsi M. Blair, socialiste intelligent (ce qui montre qu'à l'étranger ces termes ne sont pas nécessairement antinomiques) engrange succès sur succès, sans parler des J.O. (à ce propos les grèves des services publics français lors de la venue des représentants du comité ne sont peut-être pas étrangères à notre échec). Comme tout bon socialiste, il a pris des mesures en faveur des défavorisés et des faibles revenus, mais il a su donner à l'économie britannique la flexibilité nécessaire et s'est opposé à toute mesure européenne de réduction du temps de travail. Le résultat est là : un chômage réduit, une croissance relativement importante et un PIB par habitant, fait nouveau, dépassant largement le nôtre.

La comparaison avec l'économie américaine nous est encore plus défavorable. Celle-ci libérée, peut-être à l'excès, de toute contrainte socialisante, peut saisir toutes les opportunités offertes par la demande, invente de nouvelles techniques dans les domaines de l'informatique, de l'électronique et de la communication (internet), techniques fécondes au point de créer, en se développant, de nouvelles demandes. Ainsi, elle fonce vers l'avenir avec des taux de croissance durablement élevés.

Il est grand temps que l'économie française se mette à la même école si elle ne veut pas continuer à végéter, rester à l'arrière des pays développés et subir nécessairement la domination des plus dynamiques.

LE CAPITALISME AU SECOURS DU PROLETARIAT

Marx avait décidément tout faux, lui qui prédisait la libération du prolétariat par sa révolution contre le capitalisme. La révolution prolétarienne n'a su qu'apporter une horrible dictature et un régime d'économie étatisée qui a crevé de lui-même.

Inversement, le capitalisme, tant décrié, est en passe de résoudre le problème des prolétaires par une triple évolution : l'avènement de l'actionnariat des salariés, la baisse des prix, le développement du commerce international et les délocalisations.

1 – La généralisation de l'actionnariat des salariés

Aujourd'hui, 90 % des salariés des grandes entreprises en sont aussi actionnaires, de même que 40 % des salariés de l'ensemble du secteur privé.

Une augmentation des revenus ouvriers, par le biais des dividendes, est économiquement beaucoup plus saine que par l'augmentation des salaires, car on ne distribue qu'une portion des bénéfices de l'entreprise par les dividendes, c'est-à-dire une richesse créée et solvable, tandis qu'une hausse de salaires se doit d'être payée par une augmentation des bénéfices futurs pour ne pas être inflationniste et réduite à néant par la hausse des prix, situation qu'on a connu autour des décennies 50, 60 et 70. Il s'agit donc d'un pari risqué sur l'avenir et, lorsque les hausses de salaires se précipitent sous la pression syndicale, ce pari ne peut être que perdu.

Si, aujourd'hui, les grèves ne se produisent plus que dans le secteur public, assuré de l'emploi, c'est bien sûr à cause du chômage qui sévit dans le privé, mais aussi sans doute parce que les employés-actionnaires ont conscience de la solidarité de leurs intérêts avec ceux de l'entreprise et ne veulent pas scier la branche qui les porte.

Les partis et gouvernements de droite ont raison de préconiser le développement de la participation et de l'actionnariat ouvrier plutôt que les hausses de salaire, ce qui est économiquement beaucoup plus sain et souvent plus efficace pour les salariés-mêmes qu'une hausse de salaires dont l'avantage risque d'être annulé par la hausse des prix et qui peut diminuer la compétitivité de l'entreprise vis-à-vis de ses concurrents, qui peut se retourner à l'encontre des intérêts de ses salariés.

Il serait souhaitable que l'actionnariat des salariés soit étendu aux PME et généralisé à toutes les entreprises.

Lorsque la gauche déplore un partage de la valeur ajoutée, en baisse pour la rémunération du travail et en hausse pour celle du capital, elle ne tient pas compte des dividendes touchés par les salariés actionnaires. Elle oublie également que l'économie moderne, devenant de plus en plus capitalistique, il est normal et nécessaire que la rémunération du capital tende à l'emporter sur celle du travail. Pour qu'il en aille différemment, il faudrait, comme disait de Gaulle, que l'on revienne au temps des lampes à huile et de la marine à voile.

Elle ne tient pas compte non plus de l'essentiel des gains du pouvoir d'achat des consommateurs en général, et particulièrement des salariés, que constitue, la baisse des prix des biens et services.

2 – La baisse des prix

Le progrès technique, le caractère de plus en plus capitalistique de l'économie, les progrès de la productivité, le libre jeu de la concurrence décuplée par la mondialisation conduisent à la baisse des prix.

Cette baisse tendancielle des prix, bénéfique pour tous les consommateurs et pour l'économie dans son ensemble, l'est particulièrement pour les détenteurs de faibles revenus, parmi lesquels se comptent la plupart des salariés.

En effet, un moindre prix d'achat, de peu d'intérêt pour les grosses fortunes, l'est beaucoup plus pour les détenteurs de revenus faibles et proportionnel à la faiblesse de leurs revenus, pour lesquels ils ont un effet inversement progressif.

Cette baisse tendancielle des prix, qui est l'élément essentiel de l'augmentation du niveau de vie et particulièrement du pouvoir d'achat des revenus faibles, ne doit pas être contrariée par des freins à la concurrence ou par des hausses des coûts dont les salaires constituent une part importante. On l'a bien vu ces dernières années avec la hausse des prix du pétrole qui a freiné l'économie et particulièrement celle des pays pauvres.

3 – Le développement des échanges internationaux et les délocalisations

Le troisième phénomène qui joue en faveur de l'augmentation du revenu des salariés est le développement du commerce international et les délocalisations.

L'essor du commerce international, favorisé par la mondialisation, est l'un des facteurs essentiels de la baisse des prix. Il joue même en faveur des pays peu développés par le biais des « coûts comparatifs », chaque pays ayant intérêt à se spécialiser dans les productions pour lesquelles il est le mieux placé, même si ses coûts excèdent ceux d'autres concurrents.[25]

Ainsi, les travailleurs et les consommateurs des pays peu développés en retirent un bénéfice d'autant plus appréciable pour eux qu'ils sont misérables par rapport aux salariés des pays les plus développés, qui font figure de nantis par rapport à eux.

C'est ce qui rend particulièrement utile pour tous le phénomène des délocalisations, combattu à tort par certains pays industrialisés.

En effet, la délocalisation vers les pays à bas salaires profite d'abord aux consommateurs du pays d'origine de la délocalisation, en permettant des approvisionnements à très bas prix, procurant ainsi une rente pour ses consommateurs. C'est ce qui se passe aujourd'hui, notamment pour les textiles en provenance de Chine où les salaires sont quarante fois inférieurs à ceux de la France.

Mais ce phénomène est sans doute encore plus bénéfique pour les travailleurs à bas salaires et à longue durée de travail de ces pays qui voient ainsi leur faible niveau de vie augmenter. Il en fut ainsi au début du siècle du Japon qui s'est hissé au niveau des pays industrialisés. Plus tard, de la Corée, de Taïwan et de l'Asie du sud-est. C'est le tour aujourd'hui de la Chine et de l'Inde qui, dans le cadre du capitalisme, commencent leur développement et ont déjà considérablement réduit leur paupérisme. Les pays industrialisés ont tort de se montrer frileux face à ce phénomène car, outre qu'il permet à ces populations de ne plus mourir de faim, ce qui est humainement et géopolitiquement souhaitable, elles constitueront bientôt, grâce à l'élévation de leur niveau de vie des clients nouveaux, pour les vieux pays auxquels il appartient de se maintenir dans le courant de la vie économique en se spécialisant dans la recherche, la haute technologie, le luxe et les anticipations spéculatives vers les produits et services d'avenir.

Le système capitaliste, de par son dynamisme et sa souplesse d'adaptation, n'est pas étranger à cette évolution en faveur du progrès mondial et de la disparition future du prolétariat, y compris dans les pays peu développés. La logique du capitalisme implique la recherche des plus gros profits, or ceux-ci ne se trouvent que dans les productions les plus demandées sur le marché mondial et, souvent, lorsque l'entreprise productrice se situe en position de quasi monopole. Cette situation de quasi monopole n'existe momentanément que pour des productions nouvelles ensuite copiées par des concurrents qui en provoquent l'abaissement des prix. Ainsi, les entreprises capitalistes sont incitées à l'innovation, source du progrès. En même temps, elles accumulent des profits qui leur permettent ensuite recherche et investissement, à la rencontre de la demande par de bonnes anticipations spéculatives.

Ce n'est pas un hasard si les pays les plus capitalistes, comme les pays anglo-saxons, sont économiquement plus avancés. Loin de chercher à freiner le capitalisme par des mesures fiscales et sociales antiéconomiques, comme la taxation des plus-values ou les 35 heures, il faut favoriser son fonctionnement en veillant au maintien de la libre concurrence et à la protection de l'environnement.

CONCLUSION

« Il semble qu'à cet égard nous soyons aujourd'hui devant un choix décisif pour les prochaines décennies

– ou bien l'on continue de rechercher avant tout la sécurité, à distribuer des revenus de revendication et d'assistance sans lien avec la création de la valeur économique et à décourager la prise de risque, la responsabilité et l'anticipation spéculative créatrice, pour aboutir à une économie jugée juste par certains, mais objectivement statique et dominée par l'Etat tutélaire ;

– ou bien on limite, voire on réduit les revenus de revendication, de transfert et d'assistance, on allège les charges, on supprime les freins et les entraves, on favorise les gains découlant de la création de valeur économique, on laisse jouer librement, voire on aide, l'initiative, la prise de risque, l'anticipation spéculative créatrice pour redonner un deuxième souffle de dynamisme et de croissance à notre économie. »

Ainsi se terminait ce texte écrit il y a vingt-cinq ans. N'est-il pas aujourd'hui plus que jamais d'actualité ?

Quant à l'alternative posée il y a un quart de siècle, il n'est que de la formuler pour constater qu'on en a hélas retenu le premier terme pour pratiquer une politique économique mortifère dont nous cueillons aujourd'hui les fruits empoisonnés. De cette politique la loi sur les 35 heures aura été le point d'orgue et, malgré d'acrobatiques assouplissements, nous en subissons toujours les effets pervers : charge considérable pour les finances publiques, profit d'aubaine pour les employeurs distraits de leur rôle de créateur de vraie valeur économique, distorsion de concurrence annulant les effets bénéfiques de celle-ci. Nous avons perdu 25 ans ; pire la situation s'est aggravée. Le résultat est « la France qui tombe » analysée avec clairvoyance par Nicolas Baverez.

Ainsi le modèle social français, tant vanté à droite comme à gauche, qui se fixe pour premier objectif la sécurité des salariés et l'égalité sociale, a-t-il abouti tout à l'inverse au chômage de masse, générateur de la pire inégalité et à la stagnation économique. Une politique plus libérale en laissant jouer la loi de l'offre et la demande sur le marché du travail, aurait entraîné sans doute une certaine baisse du niveau des salaires, mais certainement un chômage beaucoup moindre, une croissance plus forte et une situation sociale plus égalitaire.

De ce déclin les Français sont les premiers responsables, à gauche par démagogie, conviction, et ignorance économique, à droite, où l'on connaît l'économie, par démagogie, manque de conviction, pour ne pas dire lâcheté.

Il serait grand temps qu'ils comprennent que leur modèle social est la cause principale du chômage et de la stagnation économique et qu'ils acceptent de le modifier, s'ils ne veulent pas perpétuer le blocage.

Si notre pays n'en faisait cruellement les frais, on pourrait être reconnaissant aux responsables politiques d'avoir validé notre thèse en la soumettant à l'épreuve du feu de l'histoire. Il faut plutôt souhaiter à notre peuple de faire preuve une fois encore de ce sursaut qui lui a si souvent permis, après avoir touché le fond, de rétablir la situation.

INDEX

[1] BOUKHARINE, *L'économie politique du rentier: critique de l'économie marginaliste.*

[2] Les travaux sur la Productivité Globale des Facteurs (P.G.F.) où les comptes de surplus semblent confirmer cette opinion, dans la mesure où, pour pondérer des productions hétérogènes, on n'a pas trouvé mieux que de se référer à leur prix en année de base.

[3] MASSE (Pierre), *Le plan ou l'anti-hasard.* Coll. Idées, Gallimard, Paris, 1968, p 40-41.

[4] GAZAN (Jules), *Spécialisation internationale et demande périphérique dynamique.* Revue d'Economie Politique, n° 2, mars-avril 1979, 89e année.

[5] Pour pouvoir faire un bilan exhaustif de la valeur additive créée par extension quantitative de la demande, il faudrait aussi tenir compte des coûts pour la collectivité que l'offre additive est susceptible d'entraîner (subventions diverses, routes, écoles, nuisances, pollutions, etc).

[6] BARRE (Raymond), *Economie Politique.* Presses Universitaires de France, 1970, tome II, p. 231.

[7] KEIRSTEAD (B.S.), *An essay in the theory of profits and income distribution.* Oxford, Basil Blackwell, 1953.

[8] PERROUX (François), *Le capitalisme*. P. 30.

[9] Helmut SCHMITT.

[10] PIROU (Gaétan), *La valeur et les prix*. Recueil Sirey, 1948, p. 491.

[11] GIDE (Charles), *Cours d'économie politique*. 1918, tome I, p. 374.

[12] La « financiérisation » selon le néologisme de Jean PAYRELEVADE dans son ouvrage : *L'Economie de spéculation*. Ed. du Seuil, 1978.

[13] Nous visons ici plutôt des déformations de la religion chrétienne que celle-ci dans sa pureté, notamment la religion des mérites d'un certain catholicisme et la conception puritaine d'un certain protestantisme selon laquelle la richesse est le signe de la bénédiction de Dieu sur celui qui le craint et qui vit dans l'austérité et le travail.

[14] 50 000 francs d'indemnité exceptionnelle par ouvrier licencié, outre l'indemnité légale.

[15] James BUCHANAN et Robert TOLLISON : Theory of Public Choice : *Political Applications of Economics*, The University of Michigan Press, 1972.

[16] Cas de l'Angleterre travailliste avant la politique de rigueur de M. CALLAGHAN.

[17] Cas de l'Italie des années 70 par exemple.

[18] Cas de la N.E.P. Soviétique.

[19] Cas du Cambodge des Khmers Rouges et pour les deux premières éventualités en attendant la troisième, de l'Iran de la Révolution islamique.

[20] Redéploiement économique et non comme on dit souvent à tort redéploiement industriel, puisque le redéploiement conduira souvent à remplacer des activités industrielles par des activités tertiaires.

[21] REYNAUD (Pierre Louis), *Pouvait-on prévoir la crise iranienne*. Le Monde de l'Economie, 11 décembre 1979.

[22] SEURAT (Silvère), *Le refus d'innover*. Le Monde, 6 mai 1980 : « La "mondialisation" des marchés est devenue une donnée essentielle de tout déploiement économique : ceux qui savent saisir les opportunités qu'elle présente seront les gagnants de la nouvelle partie qui se joue à l'échelle de la planète. Craignons en revanche que ceux qui attendent la vague favorable ne soient, un jour prochain, balayés par un raz-de-marée... »

[23] TOFLER (Alvin), *Le choc du futur*. Denoël, Paris, 1971 :

« Avec la génération actuelle, les frontières ont éclaté. Aujourd'hui le réseau des liens sociaux est si serré que les conséquences d'un évènement se répandent instantanément dans le monde entier. » (p. 29).

« Au cours des trois cents dernières années, la société occidentale a été prise dans un tourbillon de transformations, tourbillon qui, loin de s'apaiser, semble être maintenant en plein regain de puissance. Il se répand sur les pays fortement industrialisés en rafales d'une violence jusqu'ici inconnue et dont la vitesse ne cesse de s'accroître. » (p. 23)

«… Bien des choses qui semblent actuellement incompréhensibles seraient beaucoup plus claires si nous jetions un regard nouveau sur cette évolution dont le rythme effréné fait parfois ressembler la réalité à un kaléidoscope en folie. Car l'accélération du changement n'a pas pour seul effet de bouleverser nations et industries, c'est une force tangible qui nous atteint au tréfonds de notre vie personnelle, qui nous oblige à jouer de nouveaux rôles, et qui fait peser sur nous la menace d'un malaise psychologique nouveau et redoutable par sa violence. A celui-ci on peut donner le nom de "choc du futur", et la connaissance de ses origines et de ses symptômes nous aidera à expliquer bien des choses qui, sinon, défieraient l'analyse rationnelle… » (p. 24)

«… Le choc du futur est un phénomène lié au temps, dû à l'accélération du rythme des changements dans la société. Il naît de la superposition d'une culture nouvelle sur une ancienne. C'est un choc culturel qui vous frappe au sein de votre propre société. Mais il a une portée beaucoup plus terrible. Car la victime du choc du futur, à la différence des volontaires du Corps de la Paix, comme de la plupart des voyageurs, ne jouit pas de la certitude rassurante que la culture qu'elle a laissée derrière elle attend son retour… » (p. 29)

«… Pour comprendre ce qui nous arrive à mesure que nous pénétrons dans l'âge du super-industrialisme, nous devons analyser le processus de l'accélération et explorer la notion d'éphémère. Si l'accélération constitue une force sociale nouvelle, l'éphémère en est la contrepartie psychologique et faute d'élucider le rôle qu'il joue dans le comportement de l'homme d'aujourd'hui, toute la psychologie, toutes les théories de la personnalité sont vouées à en rester à un stade pré-moderne. Une psychologie qui ne fait pas entrer en ligne de compte la notion d'éphémère ne peut pas expliquer les phénomènes propres à l'époque contemporaine.

En modifiant notre rapport avec les ressources qui nous entourent, en amplifiant à l'extrême la portée du changement et, facteur décisif, en en accélérant le rythme, nous avons rompu de façon irréversible avec le passé. Nous avons coupé tous les ponts avec nos anciennes façons de penser, de sentir, de nous adapter. Nous avons préparé le terrain pour une société complètement nouvelle, et c'est vers elle que nous nous ruons. Tel est le problème crucial qui se pose à la huit centième génération. Et c'est cela qui amène à s'interroger sur les capacités d'adaptation de l'homme : comment se trouvera-t-il dans cette nouvelle société ? pourra-t-il les modifier ? » (p. 31)

«... Beaucoup d'entre nous ont la vague impression que le monde bouge plus vite. Les médecins comme les cadres se plaignent de ne pas arriver à se tenir au courant des derniers développements de leur discipline. Il n'est guère aujourd'hui de réunion ou de congrès sans discours de circonstance sur le "défi que nous jette le changement". Il règne un sentiment de malaise général. Le soupçon diffus que le changement échappe à tout contrôle... » (p. 32)

C.P. Snow, romancier et homme de science, souligne lui aussi que le changement est devenu flagrant : « Jusqu'à ce siècle, écrit-il, les transformations de la société étaient si lentes qu'un homme pouvait arriver au terme de sa vie sans les remarquer. Il n'en est plus ainsi. Le rythme du changement s'est accru à un tel point qu'il dépasse l'imagination. »
«... Effectivement, comme le remarque le psychosociologue Warren Dennis, il y a eu un tel coup d'accélérateur, au cours des dernières années, qu'aucune exagération, aucune hyperbole, aucune outrance ne peut rendre compte de façon réaliste de l'étendue et du rythme du changement... en fait, seule l'exagération semble approcher la vérité. » (p. 35)

« … Cette accélération de l'évolution a désormais atteint un tel niveau qu'on ne peut plus la considérer comme « normale », si loin que porte l'imagination. Les institutions habituelles de la société industrielle ne peuvent plus l'endiguer, mais son impact ébranle toutes nos structures sociales. L'accélération est dans l'univers l'une des forces motrices les plus importantes et les plus méconnues… » (p. 44)

[24] « Le sentiment d'impuissance, c'est le fait du retard de l'action ouvrière face à l'internationalisation de l'économie et de la crise. C'est l'inadéquation des réponses classiques en terme de relance de la croissance, ou de nationalisation, alors que toute alternative appelle nécessairement une autre croissance, un autre type de développement et une action coordonnée à l'échelon international. Ce sentiment de ne pas avoir prise sur la crise apparaît bien d'abord comme la conséquence d'un décalage profond : d'une part, la stratégie des multinationales semble se développer inéxorablement, remodèle la division internationale du travail, redistribue la production de textile, d'acier, d'automobiles à travers le monde ; d'autre part l'action syndicale ou politique reste essentiellement nationale tant dans les forces qu'elle rassemble que dans les interlocuteurs qu'elle vise ». Edmond Maire : *Le mouvement ouvrier face aux idéologies de crise*, Le Monde, 21 août 1980.

[25] RICARDO (David), *Principes d'économie politique.* 1817 et HABERLER (Gottfried), *The Theory of International Trade.* Hodge, Londres, 1936.

[26] BERGER (Gaston), *L'homme moderne et son éducation.* 1962.

[27] SCHOENLAUB (Pierre), *La Segmentation stratégique.* Cahier de l'I.U.T., Economique et Sciences humaines, Université René Descartes, décembre 1979, p. 11-12.

[28] Jean Hervé LORENZI, Olivier PASTRÉ et joelle TOLÉDANO voient dans "l'épuisement de la norme de consommation" l'une des quatre raisons de la crise du XXe siècle. Jean Hervé Lorenzi, Olivier Pastré, Joelle Tolédano : *La crise du XXe siècle*, Economica, Paris, 1980, p. 234.

[29] ROBINSON (Joan), *Economics of imperfect competition*. Londres Mac Millan, 1933.

[30] Cf. Tinbergen.

[31] Voir les applications de la vente au coût marginal à la tarification des entreprises publiques (Tarif Vert d'Electricité de France, etc).

[32] Réforme de l'économie soviétique en application des enseignements et des travaux de LIEBERMAN, KANTOROVITCH et NEMTCHINOV.

[33] BRAUDEL (Fernand) et LABROUSSE (Ernest), *Histoire économique et sociale de la France*. Presses Universitaires de France, 1977, tome I, 1450-1660, *L'Etat et la ville* par CHAUNU (Pierre) et GASCON (Richard), Presses Universitaires de France, 1977.

[34] Les nobles avaient des revenus hérités de l'époque médiévale, liés à leur titre, à leur statut ou à leur terre, indépendants de la valeur économique créée.

[35] Pour Alvin TOFLER, l'avènement de la civilisation de l'électronique et de l'informatique permettra la décentralisation de la décision. Aussi, prophétise-t-il : « Au lieu d'être hautement centralisée, la société de la Troisième vague sera ouverte à la notion de décentralisation de la décision. », *La Troisième vague*. Paris, Denoël, 1980, p. 437.

[36] Voici ce que dit à ce sujet Jean-François LYOTARD dans son interview à Christian DESCAMPS du Monde Dimanche du 14 octobre 1979 : « On touche déjà du doigt une situation où le travail a perdu son importance comme idéal et comme raison de vivre. Il n'est plus qu'un seuil minimal exigible pour que la société ne disparaisse pas. »

[37] MAIRE (Edmond), *Le mouvement ouvrier face aux idéologies de crise*, le Monde, 21 août 1980 : « Les prédictions sur le déclin, voire la mort du mouvement ouvrier, se multiplient. Avec des arguments qu'il serait stupide d'ignorer. Entendons-nous bien, ce qui est nié n'est pas l'existence d'une force ouvrière organisée ni son utilité relative, mais bien la capacité du mouvement ouvrier, en force autonome, à être porteur de transformations profondes de la société. Ces analyses témoignent de la période de mutation-crise que nous traversons : crise de la société, du mouvement ouvrier et du syndicalisme que nous avons déjà évoquées dans ces colonnes. Elles sont marquées du sceau du pessimisme et risquent, si l'on n'y prend garde, d'atteindre les énergies les plus fortes, les volontés d'agir les plus fermes…

Reconnaissons-le d'abord sans détours : bien avant les théorisations récentes, c'est toute une pratique politique qui a remisé le mouvement ouvrier au magasin des accessoires. »

[38] MURCIER (Alain), *Les hommes des années 80. Jouir de la richesse à défaut de l'accroître*. L'Expansion, 11-24 janvier 1980.

[39] Vingtième cahier du Centre d'Etude de l'Emploi (CEE) du Ministère du travail et de la Participation, février 1980.

[40] « André GORZ, dans ses adieux au prolétariat, émet une appréciation bien plus radicale sur l'incapacité du syndicalisme à trans-

former la société. Il diagnostique une perte totale d'intérêt au travail par le salarié car le travail lui est devenu complètement extérieur, déterminé de A à Z par la technologie et le réseau du pouvoir de la grande entreprise. Le travail n'est plus une activité propre du travailleur, ce n'est plus un lieu comportant un enjeu de pouvoir. Le sentiment d'appartenir à une classe disparaît. Par extension, le travailleur ne peut, dans son travail, accéder à une vue d'ensemble sur son entreprise. La perspective autogestionnaire d'intervention du salarié sur les choix stratégiques de son entreprise, et au-delà de la planification stratégique elle-même, ne sont qu'illusions. »

[41] DABERNAT (René), *L'électrochoc anglais*. le monde, 11 mars 1980.

[42] MAIRE (Edmond), *Le mouvement ouvrier face aux idéologies de crise*. Le Monde, 21 août 1980 : « L'échec historique du mouvement ouvrier dans son ambition à construire le socialisme, les insuffisances de son action pour affronter efficacement les défis de la crise comme les mutations à l'œuvre dans la société, les analyses sociologiques sur le déclin inévitable du rôle de la classe ouvrière, conduise un certain nombre de militants, ouvriers ou intellectuels, à l'abandon des grandes espérances, même lointaines, et au scepticisme par rapport à tout projet social un peu ambitieux. C'est le sens du repli sur les droits de l'homme comme unique objet de l'action de tant de ceux qui, hier, luttaient pour le socialisme. »

[43] JANNIC (Hervé), *Les entreprises des années 80. Plus mobiles, plus souples, plus exigeantes.* L'Expansion, 11 au 24 janvier 1980.

[44] LESOURNE (Jacques), *L'Etat protecteur face aux défis du futur. La France Assistée ?* Revue La Nef, cahier n° 2, 36ᵉ année, 1979, p. 64 : « Combien de fois, dans la collectivité française, les arbitrages n'ont-ils pas été défavorables aux consommateurs, cette

masse diffuse constituée par l'ensemble des Français, et cela au profit de telle ou telle catégorie bien identifiée de producteurs ? »

⁴⁵ Tietz (Bruno), *Le changement des valeurs et le marketing*. Revue française de marketing, janvier-février-mars 1980, cahier 80, p. 61.

⁴⁶ Granou (André), Baron (Yves) et Billaudot (Bernard), *La croissance et la crise*. Petite Collection Maspero, 1980.

⁴⁷ « La volonté des gouvernements des pays occidentaux de revenir sur certains aspects de l'Etat-providence est attestée par des déclarations, mais aussi par des mesures concrètes : il s'agit à la fois, sur le plan économique de réduire le contrôle exercé par l'Etat et de laisser jouer les disciplines du marché, sur le plan social, de limiter l'effort de solidarité consenti en faveur des plus défavorisés. » Jacques Chevallier, *La fin de l'Etat-Providence*, Projet, mars 1980 et Problèmes Economiques, 18 juin 1980, n° 1678, p. 7.

⁴⁸ « Le socialisme est mort. Le mot figure partout dans les programmes électoraux, le nom des partis, et même des Etats, mais il est vide de sens. Sauf quand il désigne une vaste famille d'états autoritaires. Faut-il conserver pieusement ce mot usé ou perverti en souvenir des luttes et des espoirs qui, depuis un siècle l'ont choisi pour drapeau ? Est-ce vraiment respecter un siècle de mouvement ouvrier que de se prosterner devant les princes, les politiciens et les technocrates qui couvrent leur pouvoir de son nom ? La fidélité au passé n'exige-t-elle pas plutôt la recherche des luttes et des espoirs, des contestations et des idées qui combattent aujourd'hui, mais sur de nouveaux terrains, le pouvoir des dominants comme l'a fait le mouvement socialiste pendant un siècle ? » Alain Touraine, *L'après socialisme*, Grasset, 1980.

[49] FRIOUX (Claude), *Nous sommes tous des intellectuels.* L'Humanité, 19 janvier 1980.

[50] ROLLAT (Alain), *M. Jean Hedern Hallier en Irlande. Les raisons d'un exil.* Le Monde, 23 janvier 1980.

[51] Voici ce que dit à ce sujet Gérard H. RABINOVITCH, qui se qualifie de « renifleur social », au cours d'une interview du Monde Dimanche du 29 juillet 1980 réalisée par Dominique BAUCHET et intitulée : *Profession : renifleur social* :

« Un renifleur social est quelqu'un qui part en éclaireur dans le quotidien. Il y fait de la prospection et de la prospective, dans le sens où il en déduit des lignes de devenir.

Il se trouve à la croisée de trois domaines : la vie quotidienne, la production des idées et la technologie. Et il voyage. Il est capteur des souches d'innovation de ces trois grands champs et il fait leur synergie... »

... « Ces mutations s'effectuent de toute façon. Et les gens qui sont les décideurs le sentent bien. Mais ce n'est pas parce qu'ils ont des capacités, ou un pouvoir, ou un savoir-faire de décideurs, qu'ils sont pour autant capables de flaner, de percevoir ces mutations. Ils savent qu'ils doivent les gérer, mais ils ne savent pas de quoi il s'agit... »

... « Un mot de Giscard dit : « Etre capable de gérer l'imprévisible ». Les décideurs intègrent qu'il y a de l'imprévisible. Au lieu d'essayer de le contrôler, ils essaient de le gérer. Et pour le gérer, il faut en savoir quelquechose. Il n'y a plus la mégalomanie de vouloir contrôler le futur... »

... « Plutôt qu'informateur, il faudrait dire conteur spéculatif sur le devenir de vie des gens, sur les mutations décelées dans la galaxie des activités humaines : ludiques, intellectuelles, culturelles, technologiques. Il n'est pas quelqu'un qui va dire aux gens : voilà ce qu'il vous faut. Il est quelqu'un qui va dire : voilà où et comment semblent s'opérer les mutations... »

... « Il suppose ceci : tout le monde parle de la mutation technologique. Il y a, en effet, mutation technologique. Dix mille revues
traitent de cela. Mais la mutation de civilisation n'est pas que technologique. Elle est aussi bien de la vie quotidienne, avec les inci-
dences que cela peut avoir sur l'accélération ou la limitation de la
mutation technologique. De même sur la mutation de la pensée, du
mode de réflexion. La mutation en cours n'est pas seulement la mise
en place de nouvelles technologies, l'électronique en particulier.
Mais c'est que, par exemple, les gens vivent différemment au niveau
de leurs corps. 11 y a une nouvelle façon de se bouger. Les indices
ne manquent pas. Prenons les nouveaux sports, deltaplane, surfing,
windsurf-ing, skateboard, rollskate, Ils ont des caractéristiques
communes... »

... « La place de quelqu'un qui fait de la prospective est une place
d'accélérateur. Contrairement à une futurologie il ne dit pas comment
cela va être. Il ne peut pas le savoir. Il se pense pris dans le mouvement. Il sait que des souches de mutation apparaissent partout. Il les
repère. Il les agence. Il est devancier plutôt que futurologue. Il dit :
« Voilà ce qui se produit ». En le sachant en le repérant et en montant
des scénarios dans lesquels il fait se connecter la mutation technologique avec la mutation des corps, la mutation des corps avec la mutation des idées, il précipite -au sens d'une précipitation chimique- l'ensemble de ces éléments, et, en même tempe, il précipite au sens de la
vitesse, c'est-à-dire qu'il fait s'accélérer le processus avant même que
celui-ci ait pris complètement de l'amplitude.

Le futurologue trace un récit de prévisions. Il fait des extrapola-
tions linéaires. Il agence des choses et fixe un but : voilà comment
va être la société.

Le prospectiviste ne fixe pas de but. Il fait de la reconnaissance. Il
repère et fait se rencontrer les nouvelles lignes-forces de la modernité. »
Jean MEILHAUD : *L'investissement face au risque politique*, Le
Monde de l'Economie, 22 janvier 1980.

[52] SCHOENLAUB (Pierre), *La Segmentation stratégique. Op. cit.* : « Contrairement à ce que l'on pense généralement, ce n'est pas l'argent qui manque le plus aux entreprises mais des méthodes d'analyse et de synthèse, leur permettant de procéder à des choix pertinents et cohérents, et de planifier leur développement à long terme. »

[53] MEILHAUD (Jean), *L'investissement face au risque politique.* Le Monde de l'Economie, 22 janvier 1980.

[54] DROUIN (Pierre), *Le redéploiement des multinationales.* Le Monde, 24 janvier 1980.

[55] DE MONTBRIAL (Thierry), *Le monde en 1990. La peur du gouffre peut conduire les nations à coopérer.* L'Expansion, 11 au 24 janvier 1980.

[56] ATTALI (Jacques), *Dix bruits dans l'ordre du monde.* Le Monde Dimanche, 13 janvier 1980.

[57] LE COROLLER (Philippe), *Fructueuses calamités.* Le Nouvel Economiste, n° 192, 16 juillet 1979.

[58] LE PAGE (Henri), *Economie Politique des transferts sociaux. La France Assistée ?* Revue La Nef, cahier n° 2, 36e année, 1979, p. 94 : « La seule chose qui change, ce sont les « prix relatifs » du risque et du non-risque. Le développement des vastes systèmes de transfert ainsi que la progression de la fiscalité qui les finance, plus toutes les réglementations publiques qui entravent la liberté d'entreprendre, aboutissent en réalité à réduire considérablement les « profits » individuels que chacun peut attendre d'une certaine prise de risque. En supposant que l'appétence au risque, par rapport au non-risque, soit une caractéristique humaine « normalement » distribuée dans la population et qui n'évoluerait pas avec le temps – une telle distribu-

tion faisant partie de la « nature » humaine : existence d'une certaine liberté irréductible de décision – une telle hypothèse n'est pas en contradiction avec les faits observés dans la mesure où la rentabilité potentielle de cet acte est de plus en plus réduite. Ce qui est alors en cause, ce n'est pas le goût du risque mais le « coût relatif » de l'un par rapport à l'autre, et, en conséquence, non pas les préférences des gens mais les institutions qui médiatisent leur réalisation. »

[59] Jean-Hervé LORENZI, Olivier PASTRÉ et Joelle TOLEDANO voient dans *l'étatisation et la "tertialisation" improductive* deux des quatre raisons de la crise du XXᵉ siècle. La crise du XXᵉ siècle, op.cit. p. 244 à 272.

[60] Jacques ATTALI, *Dix bruits dans l'ordre du monde*, Le Monde Dimanche, 13 janvier 1980.

[61] ... « Qu'une partie toujours croissante du revenu des particuliers et des entreprises soit prélevée par l'Etat, à des fins décidées par lui, et l'équilibre entre les pouvoirs de la collectivité et ceux de l'individu sera menacé puis rompu. L'augmentation excessive des dépenses publiques et sociales sécrète la multiplication des interventions administratives, la réduction du champ laissé à l'initiative individuelle et l'abandon de tout encouragement à l'esprit d'entreprise. » Raymond SOUBIE : *Sécurité Assurance Solidarité dans la France Assistée*, revue La Nef, cahier n° 2, 16e. année, 1979, p. 216.

[62] SEURAT (Silvère), *Le refus d'innover*. Le Monde, 6 mai 1980 : « A l'échelle mondiale, nos salaires et nos avantages sociaux constituent des privilèges. Ils ne peuvent être maintenus à leur niveau que s'ils sont la contrepartie de prestations et de fournitures d'avant-garde ou réalisées avec une très haute productivité. Mais nous ne pouvons pas nous contenter de camper sur les écluses retenant nos rôles d'hier. »

[63] BACON (Robert) et ELTIS (Walter), *Britain's economic problem : too few producers*. Londres, 1976.

[64] LESOURNE (Jacques), *L'Etat protecteur face aux défis du futur. La France Assistée ?* Revue La Nef, cahier n° 2, 36ᵉ année, 1979, p. 60 : « En face de ces pressions risquent de se développer des rigidités susceptibles de réduire la capacité d'adaptation structurelle à nos sociétés. Rigidités qui ont une double origine car elles proviennent à la fois de la réalisation consciente d'objectifs sociaux légitimes et de l'accumulation involontaire d'institutions, de procédures et de règles qui sont source d'inefficacité... »

[65] « Pour les fabricants, les valeurs et les tendances suivantes méritent d'être retenues : tendance à la « sur-rationalisation », accompagnée d'une tendance à la réduction de l'emploi en raison d'une législation sociale plutôt exagérée... » Bruno TIETZ : *Le changement des valeurs et le marketing*, Revue Française du Marketing, janvier-février-mars 1980, cahier 80, p. 65.

[66] DE MONTBRIAL (Thierry), *Le monde en 1990. La peur du gouffre peut conduire les nations à coopérer. O*p. cit. : «... En 1990, on peut penser que les entreprises embaucheront plus facilement parce qu'elles pourront aussi débaucher plus facilement... »

[67] Silvère SEURAT considère que le statut des inscrits maritimes français est responsable de la perte pour notre pays du France transformé en Norway : « Nous avons malheureusement défendu nos « rigidités » : elles nous auront coûté l'une des plus prestigieuses unités de la flotte, plusieurs centaines d'emplois de navigants et un nombre non négligeable d'emplois induits à terre, nécessaires à la vie d'un grand paquebot. Elles risquent de nous coûter davantage demain... » SEURAT (Silvère), *Le refus d'innover. O*p. cit.

[68] Comme le dit le psychanalyste Erik Erikson : « Dans notre société actuelle, le « cours naturel des choses » veut que le rythme du changement continue à s'accélérer, et ce jusqu'à pousser l'homme et les institutions à la limite extrême de leurs facultés d'adaptation ». Elwin TOFLER, *Le choc du futur*, Paris, Denoël, 1971, p. 46.

[69] SCHOENLAUB (Pierre), *La Segmentation stratégique. O*p. cit. : « Si, comme de nombreux dirigeants le disent, la mobilité est la clé de la rentabilité, la segmentation stratégique permet de pratiquer une politique permanente de réallocation des ressources à l'intérieur de l'entreprise et de rectification des frontières à l'extérieur. »

[70] ... « Non seulement l'interventionnisme étatique fausse le jeu de la concurrence et crée des distorsions insupportables, mais encore il est considéré comme un facteur d'immobilisme et de sclérose : contredisant l'impératif de modernisation économique et d'adaptation sociale, il conduit à une société repliée frileusement sur elle-même, allergique au changement « bloquée ». La solution consiste à réduire l'emprise de l'Etat sur la société, ainsi qu'à restaurer à tous les niveaux les principes de responsabilité, efficacité, rentabilité : l'Etat lui-même doit chercher à gérer au mieux les moyens dont il dispose et à améliorer la qualité de ses décisions par le recours aux techniques du management et de rationalisation des choix ; comme les entreprises privées, les entreprises publiques sont tenues de se soumettre aux lois du marché et tendre à l'équilibre (rapport Nora d'avril 1967).

En liaison avec cette « révolution moléculaire » se multiplient les appels, d'origine très diverse, au rétablissement de l'initiative et de la responsabilité des individus : l'Etat-providence avait eu pour effet pervers d'entraîner l'infantilisation d'administrés habitués à compter, non sur leur propres forces, mais sur le soutien de la collectivité ; la volonté que chacun retrouve « le trouble de penser et la peine de vivre » débouche sur une véritable exaltation de l'individu face à un Etat anonyme et irresponsable ». Jacques CHEVALLIER : *La fin de l'Etat providence*, Projet, mars 1980 et Problèmes Economiques, 18 juin 1980, n) 1678, p. 6-7.

[71] MAURUS (Véronique), *Une étude de la Caisse Nationale des Marchés de l'Etat*. Le Monde de l'Economie, 29 janvier 1980 : « Le goût du risque explique le nombre plus élevé d'entreprises nouvelles aux Etats-Unis. »

[72] ELMANDJRA (Mahdi), *La culture, levier du développement*. Le Monde Dimanche, 19 octobre 1980. Mahdi ELMANDJRA voudrait étendre cette notion d'anticipation au domaine pédagogique : « Nous plaidrons, à l'inverse, et je ne crois pas que nous soyons les premiers, pour un apprentissage-innovation dont les deux piliers, conceptuellement, seraient la participation et l'anticipation. On ne peut pas s'occuper d'apprentissage s'il n'y a pas une participation plus active des intéressés à ce qu'ils apprennent. D'autre part, l'éducation étant un exercice qui se déroule sur une période assez longue dans le temps, il faut anticiper les développements qui vont avoir lieu pour que la personne qui vient d'apprendre ait vraiment une connaissance qui va lui servir pour une société donnée et non pas pour une société qui n'existe que dans les manuels d'histoire. »

[73] Cahiers de l'I.U.T., Economique et Sciences Humaines, n° 4, décembre 1980.

[74] *Direction et gestion des entreprises*, 1981 – IVe 2. 3 et 4.

[75] PERROUX (François), *Vouloir être compétitif*. Le Monde, 25 mars 1980 : « Nous sommes tous contraints à une gestion prévisionnelle à long terme, sur tous les niveaux, ceux de l'entreprise, de l'industrie,

de la région, de la nation dans le monde. Des projections intelligentes peuvent aider les décisions; malgré le progrès de leurs techniques, elles sont bien loin de procurer une prévision rigoureuse et proprement dite : elles réduisent sans l'exclure le domaine du pari. »

[76] VON HEUMANN et MORGENSTERN, *La théorie des jeux de stratégie, Theory of games and Economic Behaviour,* 2ᵉ édition, 1947, Princeton.

[77] Déclaration de M. Jacques DELORS, ministre de l'Economie et des Finances : « Plus l'épargne est longue, plus sa rémunération doit être élevée. », *Les Echos,* 25 mai 1981.

BIBLIOGRAPHIE

ATTALI (Jacques), *Dix bruits dans l'ordre du monde.* Le Monde Dimanche, 13 janvier 1980.

BACON (Robert) et ELTIS (Walter), *Britain's economic problem: too few producers.* Londres, 1976.

BARRE (Raymond), *Economie Politique.* Presses Universitaires de France, 2 t., 1970.

BARRE (Raymond), *Discours de clôture de la IVe semaine du travail manuel.* 2 mars 1980.

BERGER (Gaston), *L'homme moderne et son éducation.* 1962.

BOITEUX (Marcel), *Introduction à la P.G.F..* Revue Française de Gestion, n° 2, novembre 1975.

BOUKHARINE, *L'économie politique du rentier: critique de l'économie marginaliste.*

BRAUDEL (Fernand) et LABROUSSE (Ernest), *Histoire économique et sociale de la France.* Presses Universitaires de France, 1977.

BREIL (Jacques), *Un nouvel outil de gestion: les comptes de surplus*. Revue Française de Gestion, septembre-octobre 1977.

BUCHANAN (James) et TOLLISON (Robert), *Theory of choice: political applications of economics*. The university of Michigan Press, 1972.

CHOURAQUI (Jean-Claude), *La spéculation et la politique de défense des monnaies*. Presses Universitaires de France, 1972.

LE COROLLER (Philippe), *Fructueuses calamités*. Le Nouvel Economiste, n° 192, 16 juillet 1979.

DABERNAT (René): *L'électrochoc anglais*. Le Monde, 11 mars 1980.

DESCAMPS (Christian), *Jean-François Lyotard dans la société « post-moderne »*. Le Monde Dimanche, 14 octobre 1979.

DOUBLET (Jean-Marie), *L'entreprise nippone: un modèle contesté*. Le Monde, 22 décembre 1979.

DROUIN (Pierre), *Le redéploiement des multinationales*. Le Monde, 24 janvier 1980.

ELLUL (Jacques), *Histoire des institutions de l'époque franque à la révolution*. Presses Universitaires de France, 1967.

FRIOUX (Claude), *Nous sommes tous des intellectuels*. L'Humanité, 19 janvier 1980.

GAZAN (Jules), *Spécialisation internationale et demande périphérique dynamique*. Revue d'Economie Politique, n° 2, mars-avril 1979.

GIDE (Charles), *Cours d'économie politique.* 1918.

GRANOU (André), BARON (Yves) et BILLAUDOT (Bernard), *La croissance et la crise.* Petite Collection Maspero, 1980.

HABERLER (Gottfried), *The theory of international trade.* Hodge, Londres, 1936.

JANNIC (Hervé), *Les entreprises des années 80. Plus mobiles, plus souples, plus exigeantes.* L'Expansion, 11 au 24 janvier 1980.

KEIRSTEAD (B.S.), *An essay in the theory of profits and income distribution.* Oxford, Basil Blackwell, 1953.

LAFAY (Gérard), *Dynamique de la spécialisation internationale.* Economica, 1979.

LE PAGE (Henri), *Demain le capitalisme.* Le livre de Poche, 1978.

LE PAGE (Henri), *Economie Politique des transferts sociaux.* La France Assistée ? Revue La Nef, cahier n° 2, 36ᵉ année, 1979.

LESOURNE (Jacques), *L'Etat protecteur face aux défis du futur.* La France Assistée ? Revue La Nef, cahier n° 2, 36e année, 1979.

LESOURNE (Jacques), *Les systèmes du destin*, Dalloz, 1976.

MASSE (Pierre), *Le plan ou l'anti-hasard.* Coll. Idées, Gallimard, Paris, 1968.

MAURUS (Véronique), *Une étude de la Caisse Nationale des Marchés de l'Etat.* Le Monde de l'Economie, 29 janvier 1980.

MEILHAUD (Jean), *L'investissement face au risque politique.* Le Monde de l'Economie, 22 janvier 1980.

DE MONTBRIAL (Thierry), *Le monde en 1990. La peur du gouffre peut conduire les nations à coopérer.* L'Expansion, 11 au 24 janvier 1980.

MURCIER (Alain): *Les hommes des années 80. Jouir de la richesse à défaut de l'accroître.* L'Expansion, 11 au 24 janvier 1980.

PERROUX (François), *Le capitalisme.*

PERROUX (François), *Vouloir être compétitif.* Le Monde, 25 mars 1980.

PEYRELEVADE (Jean), *L'économie de spéculation.* Ed. du Seuil, 1978.

PIROU (Gaétan), *La valeur et les prix.* Recueil Sirey, 1948.

REYNAUD (Pierre Louis), *Pouvait-on prévoir la crise iranienne.* Le Monde de l'Economie, 11 décembre 1979.

RICARDO (David), *Principes d'économie politique.* 1817.

ROBINSON (Joan), *Economics of imperfect competition.* Londres Mac Millan, 1933.

ROLLAT (Alain), *M. Jean Hedern Hallier en Irlande. Les raisons d'un exil.* Le Monde, 23 janvier 1980.

ROSA (Jean-Jacques) et AFTALION (Florin), *L'économique retrouvée,* Economica, 1977.

SCHOENLAUB (Pierre), *La segmentation stratégique.* Cahier de l'I.U.T., Economique et Sciences humaines, Université René Descartes, décembre 1979.

SEURAT (Silvère), *Le refus d'innover.* Le Monde, 6 mai 1980.

Vingtième cahier du Centre d'Etude de l'Emploi (CEE) du ministère du travail et de la participation, février 1980.

VON HEUMANN et MORGENSTERN, *La théorie des jeux de stratégie, Theory of games and Economic Behaviour,* 2ᵉ édition, 1947, Princeton.

SOMMAIRE

Avant-propos

LE CONCEPT DE L'ANTICIPATION SPÉCULATIVE
1981

1 – Définition et champ d'application de l'anticipation spéculative

2 – Le rôle fondamental de l'anticipation spéculative dans la création de la valeur économique

3 – Le concept de l'anticipation spéculative par rapport aux autres concepts économiques voisins

3.1. L'anticipation spéculative et la prévision
3.2. L'anticipation spéculative et la décision
3.3. L'anticipation spéculative et la stratégie
3.4. L'anticipation spéculative et la spéculation

4 – Les phases de l'anticipation spéculative

4.1. L'information
4.2. L'étude
4.3. La décision
4.4. Le contrôle
4.5. L'anticipation empirique ou réflexe

5 – Les caractéristiques d'une anticipation spéculative optimale

5.1. Le dynamisme
5.2. L'information
5.3. L'expérience
5.4. L'intuition
5.5. La souplesse
5.6. La rapidité
5.7. Le goût du risque
5.8. Le sens des responsabilités

6 – L'anticipation spéculative et les systèmes économiques

6.1. L'économie libérale ou de marché et les anticipations spéculatives décentralisées
6.2. L'économie collectiviste ou étatique et les anticipations spéculatives centralisées

6.3. L'économie mixte et les anticipations spéculatives tantôt décentralisées, tantôt centralisées

7 – Le rôle croissant de l'anticipation spéculative dans l'économie actuelle

L'ÉCONOMIE DU DON DE DIEU
2005

LE CAPITALISME AU SECOURS DU PROLÉTARIAT
2005

1 – La généralisation de l'actionnariat des salariés

2 – La baisse des prix

3 – Le développement des échanges internationaux et les délocalisations

CONCLUSION
2005

INDEX

BIBLIOGRAPHIE

Geror BEAULE
La Bible décryptée

Essai

Le décryptage de la Bible se fait à partir des données que la Bible contient en elle-même ; toutes les données de décodage ont été puisées dans ses Textes.

Les Textes Bibliques révèlent à plusieurs reprises qu'un petit livre qu'il faut manger, est dissimulé dans le Grand.

Dieu, dans la Genèse, une fois qu'Adam eut croqué la pomme, dit : (l'ordinateur, la pomme) maintenant l'homme en sait autant que nous en ce qui concerne le bien et le mal.

Dans l'Apocalypse on nous explique : qu'il y a un trône et une mer et entre ce trône et cette mer se trouve un chandelier portant sept cornes et sept yeux qui sont les sept Esprits de Dieu.

Or celui qui siège sur le trône tient un livre à la main.

Et on nous dit aussi que le chiffre de la bête est une image que l'on peut manipuler, et que son chiffre (code) est 666.

Si l'ordinateur manipule l'image du chiffre 6 il obtient bien sept lettres, pas une de plus pas une de moins, qui contiennent bien chacune un œil (O) et une corne (I) ces sept lettres constituent la clef du décryptage et ces lettres sont « abdegpq » ; toutes issues de l'image du chiffre 6.

Bien entendu cette clef est confirmée de nombreuses fois dans d'autres Versets.

Il n'est pas question de dire simplement « la Bible est décodée » ; dans ce livre, ce décryptage est expliqué en détail et chaque fois les Versets concernés sont amenés en regard des explications.

Tout y est montré point par point et ce qui apparaît est stupéfiant. Surtout lorsqu'on sait ces Écrits millénaires. Nous avons désormais la preuve que ces Textes, et les Noms qu'ils contiennent, ont été entièrement traités à l'ordinateur, il y a de cela plusieurs milliers d'années. À ce moment-là l'Ange dit : plus de délai !

23 € – 486 pages – Isbn 2-35027-041-6

Editions Amalthée
www.editions-amalthee.com

Georges SEIGNEUR
Le Récadère — L'Évangile du IIIᵉ Millénaire

Essai

Franc-Comtois d'origine Montbéliardo-luthérienne, Grassois d'adoption, Georges Seigneur a partagé sa vie professionnelle entre l'Hexagone et l'Outre-Mer. En ses dernières années de carrière, il assume les fonctions de Conseiller économique et financier auprès de deux Présidents de la République en Haute-Volta.

En 1957, alors au Dahomey il découvre qu'il fut Noir autrefois au Royaume d'Agbomé; assailli par des phénomènes paranormaux (type Lachaud) dès son arrivée "au Pays", il en perçoit et découvre la réalité patente grâce à l'office d'un Chef féticheur vaudou "qui l'attendait".

Mais quelles dimensions prend aussitôt pour l'homme ainsi interpellé que cette révélation, quel plus beau moyen de fraternisation universelle qu'un tel message !

Approfondissant sa quête, il confronte son expérience aux Livres saints de toutes les Traditions, singulièrement la sienne. Leur sens caché mis au jour dans la Bible lui fait franchir un véritable seuil initiatique confortant ses propres fondations, bien qu'infléchissant la scolastique traditionnelle.

Désireux de partager ses acquis, Georges Seigneur publie sous le titre générique Le Récadère (Messager royal, en dialecte dahoméen) deux tomes indissociables par complémentarité.

Tome I. LA TERRE DE TON PREMIER SOLEIL — narration ahurissante et fascinante de son vécu africain sur deux époques.

Tome II. L'EVANGILE DU IIIᵉ MILLENAIRE (contre-pied à la thèse de Salman Rushdie) ses découvertes faisant naître au seuil de ce nouveau Temps d'incontestables raisons d'espérer le pas en avant de l'Humanité entrevu par Malraux… pourvu qu'elle le veuille !

18,50 € — 224 pages — Isbn 2-35027-043-2

Editions Amalthée
www.editions-amalthee.com

Claude Robert CAHEN
Vagabondages
Récit

Le Brésil ! C'est loin le Brésil…
Oui mais j'y ai de la famille…
Alors pourquoi pas une petite visite…
Ah oui, mais là justement il y a mon oncle :
Miguel il s'appelle, c'est le frère de mon père…
Une belle saloperie le Miguel…
"Ah oui ? Et ton père alors ?… "
Un beau lâche le père Roland !…
Et puis pas mal manipulateur avec ça…
Et avec en plus un "Ego" démentiel…
Il avait été trop maltraité quand il n'était qu'un "petit jeune"…
L'affaire était bien mal partie…
Alors j'ai essayé le Vietnam…
"Tiens, en voila une drôle d'idée ! "…
mais si justement je voulais connaître le Vietnam :
Ma mère y était née.
Pas de bol ! Juste quand j'y suis arrive, en 1975,
les Nord-Vietnamiens ont décidé d'envahir le sud…
Ils m'ont proprement éjecté…
Dommage, tant pis pour eux…
Ils y ont perdu au change !
Il ne me restait plus que l'Amérique…
Merci, j'y suis depuis vingt ans.
D'ailleurs, je ne comprends toujours pas comment ce pays peut marcher…
Il me manque le code !

14 € – 170 pages – Isbn 2-35027-075-0

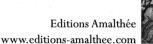

Editions Amalthée
www.editions-amalthee.com

Arnaud BASILE
Lettre à Gontran
Récit

Un type voyant un claudiquant passer dans sa rue, songe tout de suite à son vieil ami Gontran, lequel s'est exilé volontairement du pays avec son épouse pour seul bien. Et le type, instantanément, pense faire une bonne surprise à son ami Gontran en lui écrivant les nouvelles fraîches du pays, accommodées des commérages de son voisinage. En maniant l'ironie pour prévenir son ami que tout ce qu'ils faisaient tous les deux adolescents n'est plus que vieillerie sous l'usure du temps, et du fait de l'émergence de pratiques modernes très en verve dans le pays. Sans oublier l'ancêtre Canne, à qui tous les néo-politiciens locaux ambitieux promettent publiquement vie éternelle grâce à leurs futures actions, au cas où...

9 € – 54 pages – Isbn 2-35027-064-5

Editions Amalthée
www.editions-amalthee.com

Stéphane HENNEÇON
Robinsonades en Guyane

Récit

"Je squatte une vieille petite cabane bidonville inhabitée à proximité, faite de tôles grises à montants en bois, surmontée par des petits pilotis.

En face de ma chambre à l'unique fenêtre sans carreau, se dresse un haut et large arbre Fromager au feuillage vert foncé, ses hautes et imposantes racines murales contreforts sont baignées dans une bananeraie, bambouseraie, ananas, balisiers, et cocotiers ; en toile de fond s'échappent des énormes vapeurs de l'immense forêt vallonnée…"

Stéphane Henneçon nous entraîne dans un fabuleux voyage, laissez-vous guider…

11 € – 98 pages – Isbn 2-35027-084-X

Editions Amalthée
www.editions-amalthee.com

Christine SCARAMOZZINO

Etre là, tout simplement

Récit

Accompagner les malades jusqu'au bout de leur chemin de vie, malgré la maladie et la souffrance, est une nécessité. En ces jours où l'on consacre beaucoup de temps à évoquer la prévention, les traitements, les prometteuses avancées de la recherche contre le cancer, Christine Scaramozzino soutient ceux qui souffrent, en les accompagnant jusqu'à la fin.

Elle a connu la douleur d'une enfant malade, le deuil de l'être aimé, le cancer… Pourtant, cela n'a pas fait d'elle une femme aigrie, résignée, amère, révoltée contre Dieu et la Société, bien au contraire. Ainsi qu'elle le dit elle-même : "Je ne peux rester insensible à la douleur de l'autre, j'ai tellement souffert du manque d'affection de mes parents que je connais aujourd'hui l'importance de l'amour". Elle consacre sa vie entière à l'autre, à celui qui a besoin de l'amour de son prochain quand il est malade, quand il souffre, quand il va se réinsérer après la maladie, mais également quand il va mourir.

Dans le monde tel qu'il est aujourd'hui, Christine nous donne une bouffée de fraîcheur. Quelle leçon, quelle belle leçon d'humanité. Elle est là, tout simplement.

Pr. Maurice Schneider,

Cancérologue,

Président du comité départemental des Alpes-Maritimes de la Ligue Nationale Contre Le Cancer.

Christine Scaramozzino est présidente de l'association La Maison du Bonheur. Forte d'une équipe de bénévoles, elle s'investit totalement dans son combat contre l'indifférence et pour la dignité jusqu'à la fin de la vie.

12 € – 130 pages – Isbn 2-35027-096-3

Editions Amalthée
www.editions-amalthee.com

Imprimé en France
ISBN 2-35027-256-7
Dépôt légal : 1er trimestre 2006